For
TG
PO
Be
Pho

The
Gospel of
John

In **German**,
Pennsylvania Dutch,
and **English**.
With **Notes**.

Joe Keim

The greatest moment in my life happened on July 28, 1987. That was the day God showed up and forever changed my life. If you've had a day like that in your life, you know exactly what I'm talking about. But if you haven't, it will be very interesting for you to read through the Bible verses and personal notes that are printed in this booklet, which you hold in your hands. May the Lord set you free and give you the life that never stops giving.

Eli Miller

April 15, 1995, was the day that I finally humbled myself and publicly confessed Christ to those who for years thought that I already had. Since then the road has not always been easy, but it has been good. I hope you read through this booklet and carefully weigh in your heart and mind the things that you are reading. I hope you look at the notes, but pay even more attention to the Word of God and what His Word is telling you.

Jeremiah Zeiset

Being part of *The Gospel of John* project was a blessing to me. As I read through the verses and purposefully noted what different verses meant to me, I saw more of the depth and meaning of this incredible part of the Bible. If you're like me, you have asked Jesus into your heart and are desiring a closer walk with Him. Reading through this book and adding your own notes will be a powerful exercise. If you haven't taken that step of asking Jesus into your heart and life yet, you are invited by the Lord Himself to do so. He wants you to commit your life and all to Him, regardless of your past. *For all have sinned, and come short of the glory of God* (Romans 3:23).

1:1 Im Anfang war das Wort, und das Wort war bei Gott, und Gott war das Wort. 2 Dasselbige war im Anfang bei Gott. 3 Alle Dinge sind durch dasselbige gemacht, und ohne dasselbige ist nichts gemacht, was gemacht ist. 4 In ihm war das Leben, und das Leben war das Licht der Menschen. 5 Und das Licht scheinet in der Finsternis, und die Finsternis hat's nicht begriffen. 6 Es war ein Mensch, von Gott gesandt, der hieß Johannes. 7 Derselbige kam zum Zeugnis, daß er von dem Licht zeugete, auf daß sie alle durch ihn glaubeten. 8 Er war nicht das Licht, sondern daß er zeugete von dem Licht. 9 Das war das wahrhaftige Licht, welches alle Menschen erleuchtet die in diese Welt kommen. 10 Es war in der Welt, und die Welt ist durch dasselbige gemacht, und die Welt kannte es nicht. 11 Er kam in sein Eigentum, und die Seinen nahmen ihn nicht auf. 12 Wie viele ihn aber aufnahmen, denen gab er Macht, Gottes Kinder zu werden, die an seinen Namen glauben. 13 Welche nicht von dem Geblüt, noch von dem Willen des Fleisches, noch von dem Willen eines Mannes, sondern von Gott geboren sind. 14 Und das Wort ward Fleisch und wohnete unter uns, und wir sahen seine HERRLIchkeit, eine HERRLIchkeit als des eingebornen Sohnes vom Vater, voller Gnade und Wahrheit.

1:1 Im ohfang voah's Vatt, un's Vatt voah bei Gott, un's Vatt voah Gott. 2 Eah voah im ohfang bei Gott. 3 Deich een voah alli-ebbes gmacht, un unni deich een voah nix gmacht es gmacht is. 4 In eem voah's layva, un's layva voah's licht funn di mensha. 5 Es licht sheind im dunkla, un's dunkla kann dess licht nett ausmacha. 6 En mann voah kshikt funn Gott un sei nohma voah Johannes. 7 Eah is kumma es en zeiknis fa leit sawwa veyyich demm licht, so es si awl glawva deich dess licht. 8 Da Johannes selvaht voah nett sell licht, avvah eah is kumma fa leit sawwa veyyich em licht. 9 Dess voah's voahlich licht vo in di veld kumma is un macht helling in alli mensh. 10 Eah voah in di veld, un di veld voah gmacht deich een, avvah di veld hott een nett gekend. 11 Eah is zu sei aykni kumma avvah sei aykni henn een nett ohgnumma. 12 Avvah awl di leit vo een ohgnumma henn, un an een geglawbt henn, hott eah macht gevva fa kinnah Gottes vadda. 13 Si sinn nett geboahra vadda funn flaysh un bloot, adda funn mensha villa, avvah funn Gott. 14 Un's Vatt is flaysh vadda, un hott unnich uns glaybt. Miah henn sei hallichkeit ksenna, foll mitt gnawt un voahheit. Dess voah di hallichkeit fumm Faddah sei aynsishtah Sohn.

1:1 In the beginning was the Word, and the Word was with God, and the Word was God. **2** The same was in the beginning with God. **3** All things were made by him; and without him was not any thing made that was made. **4** In him was life; and the life was the light of men. **5** And the light shineth in darkness; and the darkness comprehended it not. **6** There was a man sent from God, whose name *was* John. **7** The same came for a witness, to bear witness of the Light, that all *men* through him might believe. **8** He was not that Light, but *was sent* to bear witness of that Light. **9** *That* was the true Light, which lighteth every man that cometh into the world. **10** He was in the world, and the world was made by him, and the world knew him not. **11** He came unto his own, and his own received him not. **12** But as many as received him, to them gave he power to become the sons of God, *even* to them that believe on his name: **13** Which were born, not of blood, nor of the will of the flesh, nor of the will of man, but of God. **14** And the Word was made flesh, and dwelt among us, (and we beheld his glory, the glory as of the only begotten of the Father,) full of grace and truth.

1:1 Sometimes "the Word" means Jesus, not the Bible. JZ

1:3 Since the "Word" is Christ, then Christ was involved in the creation of the world. EM

1:9 Jesus is the true Light. Satan comes as a false light (2 Corinthians 11:14), but he can't stand in the presence of true Light. JZ

1:10-12 The "Light" and the "Word" are what give life. To know the Son is to have life. To add anything to this is to break this truth. EM

1:11 says: "He came unto His own, and His own received Him not." Is it any wonder that God blinded their eyes and hardened their hearts? JK

1:14 What a breath-taking thought – the Word which was "in the beginning" in Genesis became a man and walked on the earth for the purpose of saving us. SW

15 Johannes zeuget von ihm, ruft und spricht: Dieser war es, von dem ich gesagt habe: nach mir wird kommen, der vor mir gewesen ist; denn er war eher denn ich. 16 Und von seiner Fülle haben wir alle genommen Gnade um Gnade. 17 Denn das Gesetz ist durch Mose gegeben; die Gnade und Wahrheit ist durch Jesum Christum worden. 18 Niemand hat Gott je gesehen. Der eingeborne Sohn, der in des Vaters Schoß ist, der hat es uns verkündiget. 19 Und dies ist das Zeugnis Johannes, da die Juden sandten von Jerusalem Priester und Leviten, daß sie ihn fragten: Wer bist du? 20 Und er bekannte und leugnete nicht; und er bekannte: Ich bin nicht Christus. 21 Und sie fragten ihn: Was denn? Bist du Elia? Er sprach: Ich bin's nicht. Bist du ein Prophet? Und er antwortete: Nein. 22 Da sprachen sie zu ihm: Was bist du denn? daß wir Antwort geben denen, die uns gesandt haben. Was sagst du von dir selbst? 23 Er sprach: Ich bin eine Stimme eines Predigers in der Wüste: Richtet den Weg des HERRN! wie der Prophet Jesaja gesagt hat.

15 Da Johannes hott kshvetzt funn eem. Eah hott naus gegrisha, "Dess is da vann es ich kshvetzt habb difunn vo ich ksawt habb, 'Eah kumd noch miah, avvah eah is graysah es ich binn, veil eah shund gvest voah eb ich geboahra voah.'" 16 Funn di folkummaheit funn sei gnawt voahra miah awl ksaykend ay moll noch em anra. 17 Fa's ald Ksetz voah gevvah deich da Mosi, avvah di gnawt un di voahheit sinn kumma deich Jesus Christus. 18 Nimmand hott selayva Gott ksenna. Da aynsisht geboahra Sohn es am Faddah sei seit is, eah hott een bekand gmacht zu uns. 19 Un dess is vass da Johannes ksawt hott aymol vo di Yudda di preeshtah un Leffida funn Jerusalem zu eem kshikt henn fa frohwa, "Veah bisht du?" 20 Eah hott's nett falaykeld avvah hott grawt raus ksawt, "Ich binn nett Christus." 21 "Veah bisht du dann?" henn si kfrohkt. "Bisht du da Elias?" Eah hott ksawt, "Nay, ich binn nett." "Bisht du da brofayt?" henn si no kfrohkt. Da Johannes hott ksawt, "Nay." 22 No henn si ksawt, "Sawk uns veah du bisht. Miah missa andvat gevva zu denna vo uns kshikt henn. Vass sawksht du veyyich diah selvaht?" 23 Da Johannes hott ksawt, "Ich binn di shtimm funn aym am breddicha in di vildahnis, 'Machet da vayk grawt fa da Hah,' vi da brofayt Jesaia ksawt hott."

15 John bare witness of him, and cried, saying, This was he of whom I spake, He that cometh after me is preferred before me: for he was before me. **16** And of his fulness have all we received, and grace for grace. **17** For the law was given by Moses, *but* grace and truth came by Jesus Christ. **18** No man hath seen God at any time; the only begotten Son, which is in the bosom of the Father, he hath declared *him.* **19** And this is the record of John, when the Jews sent priests and Levites from Jerusalem to ask him, Who art thou? **20** And he confessed, and denied not; but confessed, I am not the Christ. **21** And they asked him, What then? Art thou Elias? And he saith, I am not. Art thou that prophet? And he answered, No. **22** Then said they unto him, Who art thou? that we may give an answer to them that sent us. What sayest thou of thyself? **23** He said, I *am* the voice of one crying in the wilderness, Make straight the way of the Lord, as said the prophet Esaias.

1:17 *Yes! It feels so freeing to not have the Law of Moses pointing its finger at me. JK*

24 Und die gesandt waren, die waren von den Pharisäern 25 und fragten ihn und sprachen zu ihm: Warum taufest du denn, so du nicht Christus bist noch Elia noch ein Prophet? 26 Johannes antwortete ihnen und sprach: Ich taufe mit Wasser; aber er ist mitten unter euch getreten, den ihr nicht kennet. 27 Der der nach mir kommen wird, welcher vor mir gewesen ist, des ich nicht wert bin, daß ich seine Schuhriemen auflöse. 28 Dies geschah zu Bethabara, jenseit des Jordans, da Johannes taufete. 29 Des andern Tages siehet Johannes Jesum zu ihm kommen und spricht: Siehe, das ist Gottes Lamm, welches der Welt Sünde trägt! 30 Dieser ist's, von dem ich gesagt habe: Nach mir kommt ein Mann, welcher vor mir gewesen ist; denn er war eher denn ich. 31 Und ich kannte ihn nicht, sondern auf daß er offenbar würde in Israel, darum bin ich kommen, zu taufen mit Wasser. 32 Und Johannes zeugete und sprach: Ich sah, daß der Geist herabfuhr wie eine Taube vom Himmel und blieb auf ihm. 33 und ich kannte ihn nicht; aber der mich sandte, zu taufen mit Wasser, derselbige sprach zu mir: Über welchen, du sehen wirst den Geist herabfahren und auf ihm bleiben, derselbige ist's, der mit dem Heiligen Geist taufet.

24 Nau dee vo zumm Johannes kumma sinn, voahra kshikt bei di Pharisayah. 25 No henn si een kfrohkt, "Vann du nett Christus bisht, adda da Elias, adda sellah brofayt, favass bisht du am dawfa?" 26 Da Johannes hott eena ksawt, "Ich dawf mitt vassah, avvah's shtayt aynah unnich eich es diah nett kennet. 27 Eah kumd noch miah heah, un is leevah ohgnumma es ich. Ich binn's nett veaht fa sei shoobendel uf macha." 28 Dess hott awl blatz gnumma in Bethabara uf di annah seit fumm Jordan Revvah vo da Johannes am dawfa voah. 29 Da neksht dawk hott eah Jesus ksenna geyyich eem kumma, un no hott eah ksawt, "Gukket moll, do is Gottes Lamm. Dess is da vann vo di veld iahra sinda vekk nemd. 30 Dess is da vann es ich am shvetza voah diveyya vo ich ksawt habb, 'Es kumd en mann noch miah, avvah eah is graysah es ich binn, veil eah shund gvest voah eb ich geboahra voah.' 31 Ich habb een nett gekend, avvah ich binn kumma dawfa mitt vassah, so es eah bekand vatt zu Israel." 32 Un da Johannes hott dess zeiknis gevva, "Ich habb da Geisht ksenna vi en daub runnah kumma fumm Himmel un eah is uf eem geblivva. 33 Ich habb een alsnoch nett gekend, avvah deah vo mich kshikt hott fa dawfa mitt vassah hott ksawt zu miah, 'Du zaylsht da Geisht sayna runnah kumma uf aynah un uf eem bleiva. Eah is da vann vo dawft mitt em Heilicha Geisht.'

24 And they which were sent were of the Pharisees. **25** And they asked him, and said unto him, Why baptizest thou then, if thou be not that Christ, nor Elias, neither that prophet? **26** John answered them, saying, I baptize with water: but there standeth one among you, whom ye know not; **27** He it is, who coming after me is preferred before me, whose shoe's latchet I am not worthy to unloose. **28** These things were done in Bethabara beyond Jordan, where John was baptizing. **29** The next day John seeth Jesus coming unto him, and saith, Behold the Lamb of God, which taketh away the sin of the world. **30** This is he of whom I said, After me cometh a man which is preferred before me: for he was before me. **31** And I knew him not: but that he should be made manifest to Israel, therefore am I come baptizing with water. **32** And John bare record, saying, I saw the Spirit descending from heaven like a dove, and it abode upon him. **33** And I knew him not: but he that sent me to baptize with water, the same said unto me, Upon whom thou shalt see the Spirit descending, and remaining on him, the same is he which baptizeth with the Holy Ghost.

1:27 If John was unworthy, how much less am I worthy? Praise the Lord for His mercy towards sinners. JZ

1:29 All my sins! Where are they? They're gone. Thank you, Jesus, for getting rid of them! JK

1:30 Jesus was not at all like what they were expecting. He looked like any other man and walked among them, and they did not even realize it. EM

34 Und ich sah es und zeugete, daß dieser ist Gottes Sohn. 35 Des andern Tags stund abermal Johannes und zwei seiner Jünger. 36 Und als er sah Jesum wandeln, sprach, er: Siehe, das ist Gottes Lamm! 37 Und zwei seiner Jünger höreten ihn reden und folgeten Jesu nach? 38 Jesus aber wandte sich um und sah sie nachfolgen und sprach zu ihnen: Was suchet ihr? Sie aber sprachen zu ihm: Rabbi (das ist verdolmetscht, Meister), wo bist du zur Herberge? 39 Er sprach zu ihnen: Kommt und sehet es! Sie kamen und sahen's und blieben denselbigen Tag bei ihm. Es war aber um die zehnte Stunde. 40 Einer aus den zwei, die von Johannes höreten und Jesu nachfolgeten, war Andreas, der Bruder des Simon Petrus. 41 Derselbige findet am ersten seinen Bruder Simon und spricht zu ihm: Wir haben den Messias funden (welches ist verdolmetscht: der Gesalbte). 42 Und führete ihn zu Jesu. Da ihn Jesus sah, sprach er: Du bist Simon, Jonas Sohn; du sollst Kephas heißen (das wird verdolmetscht: ein Fels).

34 Ich habb's ksenna, un sawk eich es dess is da Sohn Gottes." 35 Da neksht dawk hott da Johannes viddah datt kshtanna mitt zvay funn sei yingah, 36 un eah hott Jesus ksenna lawfa. No hott eah ksawt, "Gukket moll, dess is Gottes Lamm." 37 Di zvay yingah henn een keaht dess sawwa no sinn si Jesus nohch ganga. 38 Jesus hott sich rumm gedrayt un hott si ksenna eem nohch kumma un hott kfrohkt, "Vass suchet diah?" No henn si ksawt, "Rabbi (sell maynd Teetshah), vo bleibsht du?" 39 Eah hott ksawt, "Kummet un gukket." Si sinn mitt eem ganga un henn ksenna vo eah geblivva is, un sinn no bei eem geblivva fa's ivvahrich funn sellem dawk. Dess voah nochmiddawks so an di fiah oowah rumm. 40 Ayns funn di zvay vo da Johannes keaht hott un vo mitt Jesus ganga is voah da Andreas, em Simon Petrus sei broodah. 41 Eah hott seahsht sei broodah, da Simon kfunna un hott ksawt zu eem, "Miah henn da Messias kfunna (dess maynd Christus)." 42 No hott eah een zu Jesus gebrocht. Jesus hott een ohgegukt un hott ksawt, "Du bisht da Simon, em Jona sei boo. Du solsht Kephas haysa." (Dess is saym es Petrus, un maynd "en shtay.")

34 And I saw, and bare record that this is the Son of God.

35 Again the next day after John stood, and two of his disciples; **36** And looking upon Jesus as he walked, he saith, Behold the Lamb of God! **37** And the two disciples heard him speak, and they followed Jesus. **38** Then Jesus turned, and saw them following, and saith unto them, What seek ye? They said unto him, Rabbi, (which is to say, being interpreted, Master,) where dwellest thou? **39** He saith unto them, Come and see. They came and saw where he dwelt, and abode with him that day: for it was about the tenth hour. **40** One of the two which heard John *speak*, and followed him, was Andrew, Simon Peter's brother. **41** He first findeth his own brother Simon, and saith unto him, We have found the Messias, which is, being interpreted, the Christ. **42** And he brought him to Jesus. And when Jesus beheld him, he said, Thou art Simon the son of Jona: thou shalt be called Cephas, which is by interpretation, A stone.

1:36 Thousands of lambs gave up their lives and were slaughtered for the sins of Israel. Jesus too came as a lamb to die for your sins and mine. JK

1:41 Did you find the Christ yet? Have you met? Do you know Him? JK

43 Des andern Tags wollte Jesus wieder nach Galiläa ziehen und findet Philippus und spricht zu ihm: Folge mir nach! 44 Philippus aber war von Bethsaida, aus der Stadt des Andreas und Petrus. 45 Philippus findet Nathanael und spricht zu ihm: Wir haben den funden, von welchem Mose im Gesetz und die Propheten geschrieben, Jesum, Josephs Sohn, von Nazareth. 46 Und Nathanael sprach zu ihm: Was kann von Nazareth Gutes kommen? Philippus spricht zu ihm: Komm und siehe es! 47 Jesus sah Nathanael zu sich kommen und spricht von ihm: Siehe, ein rechter Israelit, in welchem kein Falsch ist. 48 Nathanael spricht zu ihm: Woher kennest du mich? Jesus antwortete und sprach zu ihm: Ehe denn dich Philippus rief, da du unter dem Feigenbaum warest, sah ich dich. 49 Nathanael antwortet und spricht zu ihm: Rabbi, du bist Gottes Sohn, du bist der König von Israel. 50 Jesus antwortete und sprach zu ihm: Du glaubest, weil ich dir gesagt habe, daß ich dich gesehen habe unter dem Feigenbaum; du wirst noch Größeres denn das sehen. 51 Und spricht zu ihm: Wahrlich, wahrlich, ich sage euch, von nun an werdet ihr den Himmel offen sehen und die Engel Gottes hinauf - und herabfahren auf des Menschen Sohn.

43 Da neksht dawk hott Jesus viddah noch Galilaya gay vella. Eah hott da Philippus kfunna un hott ksawt zu eem, "Kumm miah nohch." 44 Da Philippus voah funn Bethsaida, di shtatt vo da Andreas un da Petrus drinn gvoond henn. 45 Da Philippus hott da Nathanael kfunna un hott ksawt zu eem, "Miah henn deah kfunna es da Mosi kshrivva hott difunn im Ksetz, un aw es di brofayda kshrivva henn difunn. Eah is Jesus, em Joseph funn Nazareth sei boo." 46 Da Nathanael hott ksawt zu eem, "Kann ennich ebbes goodes aus Nazareth kumma?" Da Philippus hott no ksawt, "Kumm un gukk moll." 47 Vo Jesus da Nathanael ksenna hott kumma, hott eah ksawt veyya eem, "Do is en Israeliddah. Es is nix falshes in eem." 48 No hott da Nathanael een kfrohkt, "Vi kensht du mich?" Jesus hott ksawt zu eem, "Ich habb dich ksenna unnich em feiyabohm, eb da Philippus dich groofa hott." 49 Da Nathanael hott no ksawt, "Meishtah, du bisht Gottes Sohn. Du bisht da Kaynich funn Israel." 50 Jesus hott een kfrohkt, "Glawbsht du yusht veil ich ksawt habb es ich dich ksenna habb unnich em feiya-bohm? Du solsht graysahri sacha es dee sayna." 51 Un eah hott ksawt zu eem, "Voahlich, voahlich, ich sawk eich, funn nau on zaylet diah da Himmel sayna, veit uf, un Gott sei engel am uf un ab gay uf da Mensha Sohn."

43 The day following Jesus would go forth into Galilee, and findeth Philip, and saith unto him, Follow me. **44** Now Philip was of Bethsaida, the city of Andrew and Peter. **45** Philip findeth Nathanael, and saith unto him, We have found him, of whom Moses in the law, and the prophets, did write, Jesus of Nazareth, the son of Joseph. **46** And Nathanael said unto him, Can there any good thing come out of Nazareth? Philip saith unto him, Come and see. **47** Jesus saw Nathanael coming to him, and saith of him, Behold an Israelite indeed, in whom is no guile! **48** Nathanael saith unto him, Whence knowest thou me? Jesus answered and said unto him, Before that Philip called thee, when thou wast under the fig tree, I saw thee. **49** Nathanael answered and saith unto him, Rabbi, thou art the Son of God; thou art the King of Israel. **50** Jesus answered and said unto him, Because I said unto thee, I saw thee under the fig tree, believest thou? thou shalt see greater things than these. **51** And he saith unto him, Verily, verily, I say unto you, Hereafter ye shall see heaven open, and the angels of God ascending and descending upon the Son of man.

1:43 Jesus wants us to follow Him too, but it's the last thing the natural man wants. JZ

1:43 Jesus could have said, "Follow your parents or the preachers," but He didn't. He said "Follow me." JK

1:46 Sometimes the most wonderful things can come from the most unlikely of places, but you have to be willing to look. EM

1:50 Some people just plain have a harder time believing in Jesus. JK

1:50-51 Jesus' response was incredible, "Nathanael, you haven't seen anything yet." EM

2:1 Und am dritten Tage ward eine Hochzeit zu Kana in Galiläa; und die Mutter Jesu war da. 2 Jesus aber und seine Jünger wurden auch auf die Hochzeit geladen. 3 Und da es an Wein gebrach, spricht die Mutter Jesu zu ihm: Sie haben nicht Wein. 4 Jesus spricht zu ihr: Weib, was habe ich mit dir zu schaffen? Meine Stunde ist noch nicht kommen. 5 Seine Mutter spricht zu den Dienern: Was er euch saget, das tut. 6 Es waren aber allda sechs steinerne Wasserkrüge gesetzt nach der Weise der jüdischen Reinigung, und gingen in je einen zwei oder drei Maß. 7 Jesus spricht zu ihnen: Füllet die Wasserkrüge mit Wasser. Und sie fülleten sie bis obenan. 8 Und er spricht zu ihnen: Schöpfet nun und bringet's dem Speisemeister. Und sie brachten's. 9 Als aber der Speisemeister kostete den Wein, der Wasser gewesen war, und wußte nicht, von wannen er kam (die Diener aber wußten's, die das Wasser geschöpft hatten), rufet der Speisemeister den Bräutigam 10 und spricht zu ihm: Jedermann gibt zum ersten guten Wein, und wenn sie trunken worden sind, alsdann den geringern; du hast den guten Wein bisher behalten. 11 Das ist das erste Zeichen, das Jesus tat, geschehen zu Kana in Galiläa und offenbarte

2:1 Da dritt dawk voah en hochtzich an Kana in Galilaya un Jesus sei maemm voah datt. 2 Jesus un sei yingah voahra aw an di hochtzich kaysa. 3 Vo da vei awl vadda is, hott Jesus sei maemm ksawt zu eem, "Si sinn aus vei." 4 No hott Jesus ksawt zu iahra, "Veibsmensh, vass is dess zu miah adda zu diah? Mei zeit is noch nett do." 5 No hott sei maemm ksawt zu di shaff-leit, "Doond vass eah eich sawkt." 6 Es voahra sex shtaynichi vassah heffa datt kshtanna fa di Yudda sich vesha eb si bayda. Yaydah haffa hott zvansich adda dreisich galla kohva. 7 Jesus hott ksawt zu di shaff-leit, "Fillet di heffa mitt vassah." Un si henn si gans foll gmacht. 8 No hott eah ksawt zu eena, "Nau shebbet samm raus un nemmet's zu em foahgayyah fumm hochtzich essa." No henn si sell gedu, 9 un da foahgayyah hott's vassah fasucht es nau vei voah. Eah hott nett gvist vo da vei bei kumma is, avvah di shaff-leit vo's vassah raus kshebt henn, henn's gvist. No hott eah da hochtzeidah bei groofa, 10 un hott ksawt zu eem, "Alli-ebbah shunsht dutt da goot vei seahsht raus. No vann di leit moll feel gedrunka henn, doon si da vei raus es nett so goot is. Avvah du hosht da goot vei kalda biss nau." 11 Dess, da eahsht zaycha es Jesus gedu hott, voah an Kana in Galilaya. Do hott eah sei hallichkeit gvissa, un sei yingah

2:1 And the third day there was a marriage in Cana of Galilee; and the mother of Jesus was there: **2** And both Jesus was called, and his disciples, to the marriage. **3** And when they wanted wine, the mother of Jesus saith unto him, They have no wine. **4** Jesus saith unto her, Woman, what have I to do with thee? mine hour is not yet come. **5** His mother saith unto the servants, Whatsoever he saith unto you, do *it*. **6** And there were set there six waterpots of stone, after the manner of the purifying of the Jews, containing two or three firkins apiece. **7** Jesus saith unto them, Fill the waterpots with water. And they filled them up to the brim. **8** And he saith unto them, Draw out now, and bear unto the governor of the feast. And they bare *it*. **9** When the ruler of the feast had tasted the water that was made wine, and knew not whence it was: (but the servants which drew the water knew;) the governor of the feast called the bridegroom, **10** And saith unto him, Every man at the beginning doth set forth good wine; and when men have well drunk, then that which is worse: *but* thou hast kept the good wine until now. **11** This beginning of miracles did Jesus in Cana of Galilee, and manifested forth his glory; and his disciples

2:5 Mary understood that Jesus was the authority, even though He was her son. Is the Lord Jesus your authority? JZ

2:3-11 This was kind of a strange setting for the first miracle of Christ's earthly ministry. Most at the wedding feast never even knew what happened, but the disciples did. The miracle was really for them so they would believe Christ was who He said He was. It demonstrated His power over His creation. Do you believe that Christ is really who He said He is? EM

seine HERRLIchkeit. Und
seine Jünger glaubten an ihn.
12 Danach zog er hinab gen
Kapernaum, er, seine Mutter,
seine Brüder und seine Jünger,
und blieben nicht lange daselbst.
13 Und der Juden Ostern war
nahe. Und Jesus zog hinauf
gen Jerusalem 14 und fand im
Tempel sitzen, die da Ochsen,
Schafe und Tauben feil hatten,
und die Wechsler. 15 Und er
machte eine Geißel aus Stricken
und trieb sie alle zum Tempel
hinaus samt den Schafen und
Ochsen und verschüttete den
Wechslern das Geld und stieß
die Tische um. 16 Und sprach
zu denen, die die Tauben feil
hatten: Traget das von dannen
und machet nicht meines Vaters
Haus zum Kaufhause! 17 Seine
Jünger aber gedachten daran,
daß geschrieben stehet: Der
Eifer um dein Haus hat mich
gefressen. 18 Da antworteten
nun die Juden und sprachen
zu ihm: Was zeigst du uns für
ein Zeichen, daß du solches tun
mögest? 19 Jesus antwortete
und sprach zu ihnen: Brechet
diesen Tempel, und am dritten
Tage will ich ihn aufrichten. 20
Da sprachen die Juden: Dieser
Tempel ist in sechsundvierzig
Jahren erbauet, und du willst
ihn in dreien Tagen aufrichten?
21 Er aber redete von dem
Tempel seines Leibes. 22 Da
er nun auferstanden war von den

henn an een geglawbt. 12 Noch
demm is eah nunnah ganga an
di shtatt funn Kapernaum mitt sei
maemm, sei breedah un sei yin-
gah. Datt sinn si geblivva fa poah
dawk. 13 Es voah yusht nayksht
an di zeit funn di Yudda iahra
Ohshtah-Fesht un Jesus is nuff
ganga an Jerusalem. 14 Eah hott
di leit kfunna im tempel es am oxa,
shohf un dauva fakawfa voahra,
un hott aw di geld-vexlah kfunna
an iahra disha hokka. 15 No hott
eah en gayshel aus shtrikk gmacht,
un hott si awl naus gedrivva mitt
iahra shohf un oxa. Eah hott di
geld-vexlah iahra vexel ausgleaht,
un hott iahra disha umkshmissa.
16 Un eah hott ksawt zu dee vo
dauva fakawft henn, "Nemmet
dee sacha vekk. Machet kenn
kawf-haus aus meim Faddah
seim haus." 17 Sei yingah voahra
no droh gegmohnd es es kshrivva
is: "Mei grohsah eahnsht fa dei
haus frest mich uf." 18 Di Yudda
henn no ksawt zu eem, "Vass fa'n
zaycha veisht du uns es du's recht
hosht fa dess du?" 19 Jesus hott
eena ksawt, "Reiset deah tempel
nunnah, un in drei dawk shtell
ich en viddah uf." 20 No henn
di Yudda ksawt, "Es hott sex un
fatzich yoah gnumma fa deah
tempel bauwa, un du sawksht du
kansht en uf shtella in drei dawk?"
21 Avvah eah voah am shvetza
veyyich em tempel funn seim
leib. 22 Noch demm es eah uf
kshtanna is funn di dohda, henn

believed on him. **12** After this he went down to Capernaum, he, and his mother, and his brethren, and his disciples: and they continued there not many days. **13** And the Jews' passover was at hand, and Jesus went up to Jerusalem, **14** And found in the temple those that sold oxen and sheep and doves, and the changers of money sitting: **15** And when he had made a scourge of small cords, he drove them all out of the temple, and the sheep, and the oxen; and poured out the changers' money, and overthrew the tables; **16** And said unto them that sold doves, Take these things hence; make not my Father's house an house of merchandise. **17** And his disciples remembered that it was written, The zeal of thine house hath eaten me up. **18** Then answered the Jews and said unto him, What sign shewest thou unto us, seeing that thou doest these things? **19** Jesus answered and said unto them, Destroy this temple, and in three days I will raise it up. **20** Then said the Jews, Forty and six years was this temple in building, and wilt thou rear it up in three days? **21** But he spake of the temple of his body. **22** When therefore he was risen from the dead, his disciples remembered that he

2:15 In a Christian's life, Jesus also drives out selfishness and sin with a "scrounge of small cords," doesn't he? He slowly but surely changes us until we transform into His image, if we let Him. JZ

2:18 The Jews wanted a sign from heaven, proving that Jesus was who He said He was. Many today also look for signs, but God requires that we live by faith alone. JK

Toten, gedachten seine Jünger daran, daß er dies gesagt hatte, und glaubten der Schrift und der Rede, die Jesus gesagt hatte. 23 Als er aber zu Jerusalem war in den Ostern auf dem Fest, glaubten viele an seinen Namen, da sie die Zeichen sahen, die er tat. 24 Aber Jesus vertrauete sich ihnen nicht; denn er kannte sie alle 25 und bedurfte nicht, daß jemand Zeugnis gäbe von einem Menschen; denn er wußte wohl, was im Menschen war.

3:1 Es war aber ein Mensch unter den Pharisäern mit Namen Nikodemus, ein Oberster unter den Juden. 2 Der kam zu Jesu bei der Nacht und sprach zu ihm: Meister, wir wissen, daß du bist ein Lehrer, von Gott kommen; denn niemand kann die Zeichen tun, die du tust, es sei denn Gott mit ihm. 3 Jesus antwortete und sprach zu ihm: Wahrlich, wahrlich, ich sage dir: Es sei denn, daß jemand von neuem geboren werde, kann er das Reich Gottes nicht sehen. 4 Nikodemus spricht zu ihm: Wie kann ein Mensch geboren werden, wenn er alt ist? Kann er auch wiederum in seiner Mutter Leib gehen und geboren werden? 5 Jesus antwortete: Wahrlich, wahrlich, ich sage dir: Es sei denn, daß jemand geboren werde aus dem Wasser und Geist, so kann er nicht in das Reich Gottes kommen.

sei yingah droh gedenkt es eah dess ksawt katt hott, un si henn di Shrift un di vadda geglawbt es Jesus ksawt katt hott. 23 Vo eah dessamohl in Jerusalem voah am Ohshtah-Fesht, henn feel an sei nohma geglawbt, veil si di zaycha ksenna henn es eah gedu hott. 24 Avvah Jesus hott sich nett ivvah-gevva zu eena veil eah awl mensha goot gekend hott. 25 Un's hott nimmand eem sawwa braucha veyyich mensha, fa eah hott goot gvist vass in iahra hatza is.

3:1 Es voah en mann funn di Pharisayah mitt em nohma Nicodemus es en ivvah-saynah voah unnich di Yudda. 2 Deah mann is zu Jesus kumma in di nacht un hott ksawt zu eem, "Meishtah, miah vissa es du en teetshah bisht es funn Gott kumma is, fa nimmand kend dee zaycha du es du dusht vann Gott nett bei eem veah." 3 Jesus hott ksawt zu eem, "Voahlich, voahlich, ich sawk diah, vann ebbah nett nei un viddah-geboahra is, dann kann eah's Reich-Gottes nett sayna." 4 Da Nicodemus hott no ksawt zu eem, "Vi kann en mensh viddah-geboahra vadda vann eah moll ald is? Kann eah nochamohl in sei muddah iahra leib nei gay un viddah-geboahra vadda?" 5 Jesus hott ksawt, "Voahlich, voahlich, ich sawk diah, vann en mensh nett geboahra is funn vassah un fumm Geisht, dann kann eah nett in Gott sei Kaynich-Reich nei kumma.

had said this unto them; and they believed the scripture, and the word which Jesus had said. **23** Now when he was in Jerusalem at the passover, in the feast *day*, many believed in his name, when they saw the miracles which he did. **24** But Jesus did not commit himself unto them, because he knew all *men*, **25** And needed not that any should testify of man: for he knew what was in man.

2:25 Jesus doesn't say what is in man here, but I think we know. JZ

3:1 There was a man of the Pharisees, named Nicodemus, a ruler of the Jews: **2** The same came to Jesus by night, and said unto him, Rabbi, we know that thou art a teacher come from God: for no man can do these miracles that thou doest, except God be with him. **3** Jesus answered and said unto him, Verily, verily, I say unto thee, Except a man be born again, he cannot see the kingdom of God. **4** Nicodemus saith unto him, How can a man be born when he is old? can he enter the second time into his mother's womb, and be born? **5** Jesus answered, Verily, verily, I say unto thee, Except a man be born of water and *of* the Spirit, he cannot enter into the kingdom of God.

3:3 To be born again or to be born from above. Nicodemus misunderstood what Jesus said here. Nicodemus did not need another physical birth; he needed to have a spiritual birth. EM

3:5 There are two kinds of births. They both happen in an instant. They both allow a person to see, hear, and experience things they couldn't before the birth took place. JK

6 Was vom Fleisch geboren wird, das ist Fleisch, und was vom Geist geboren wird, das ist Geist. 7 Laß dich's nicht wundern, daß ich dir gesagt habe: Ihr müsset von neuem geboren werden. 8 Der Wind bläset, wo er will, und du hörest sein Sausen wohl; aber du weißt nicht, von wannen er kommt und wohin er fähret. Also ist ein jeglicher, der aus dem Geist geboren ist. 9 Nikodemus antwortete und sprach zu ihm: Wie mag solches zugehen? 10 Jesus antwortete und sprach zu ihm: Bist du ein Meister in Israel und weißt das nicht? 11 Wahrlich, wahrlich, ich sage dir, wir reden, was wir wissen, und zeugen, was wir gesehen haben, und ihr nehmet unser Zeugnis nicht an. 12 Glaubt ihr nicht, wenn ich euch von irdischen Dingen sage, wie würdet ihr glauben, wenn ich euch von himmlischen Dingen sagen würde? 13 Und niemand fähret gen Himmel, denn der vom Himmel herniederkommen ist, nämlich des Menschen Sohn, der im Himmel ist. 14 Und wie Mose in der Wüste eine Schlange erhöhet hat, also muß des Menschen Sohn erhöhet werden, 15 auf daß alle, die an ihn glauben, nicht verloren werden, sondern das ewige Leben haben. 16 Also hat Gott die Welt geliebet, daß er seinen eingeborenen Sohn gab, auf daß alle, die an ihn glauben, nicht verloren werden, sondern das ewige Leben haben. 17 Denn Gott

6 Vass fumm flaysh geboahra is, sell is flaysh, un vass fumm Geisht geboahra is, sell is Geisht. 7 Loss es dich nett favunnahra es ich ksawt habb, 'Diah misset nei un viddahgeboahra sei.' 8 Da vind blohst vo eah vill, un du kansht en heahra avvah du vaysht nett vo eah heah kumd adda vo eah hee gayt. So is es mitt alli-ebbah es geboahra is fumm Geisht." 9 No hott da Nicodemus zu Jesus ksawt, "Vi kann dess sei?" 10 Jesus hott ksawt zu eem, "Bisht du en meishtah funn Israel, un du fashtaysht sell nett? 11 Voahlich, voahlich, ich sawk diah, miah shvetza veyyich demm es miah vissa, un miah gevva zeiknis zu demm es miah ksenna henn, avvah diah nemmet unsah zeiknis nett oh. 12 Ich habb kshvetzt zu eich veyyich nadiahlichi sacha un diah hend's nett geglawbt; vi vellet diah dann glawva vann ich shvetz veyyich himlishi sacha. 13 Nimmand is selayva nuff in da Himmel ganga vi yusht da vann vo runnah kumma is fumm Himmel; naymlich, da Mensha Sohn es im himmel is. 14 Un vi da Mosi di shlang uf kohva hott in di vildahnis, so muss da Mensha Sohn uf kohva vadda, 15 so es veah-evvah es an een glawbt, nett faloahra gayt avvah eah soll's ayvich layva havva. 16 Fa Gott hott di veld so leeb katt es eah sei aynsishtah geboahranah Sohn gevva hott, so es awl dee vo an een glawva, nett faloahra gay sella, avvah sella ayvich layva havva. 17 Fa Gott hott sei Sohn

6 That which is born of the flesh is flesh; and that which is born of the Spirit is spirit. **7** Marvel not that I said unto thee, Ye must be born again. **8** The wind bloweth where it listeth, and thou hearest the sound thereof, but canst not tell whence it cometh, and whither it goeth: so is every one that is born of the Spirit. **9** Nicodemus answered and said unto him, How can these things be? **10** Jesus answered and said unto him, Art thou a master of Israel, and knowest not these things? **11** Verily, verily, I say unto thee, We speak that we do know, and testify that we have seen; and ye receive not our witness. **12** If I have told you earthly things, and ye believe not, how shall ye believe, if I tell you *of* heavenly things? **13** And no man hath ascended up to heaven, but he that came down from heaven, *even* the Son of man which is in heaven. **14** And as Moses lifted up the serpent in the wilderness, even so must the Son of man be lifted up: **15** That whosoever believeth in him should not perish, but have eternal life. **16** For God so loved the world, that he gave his only begotten Son, that whosoever believeth in him should not perish, but have everlasting life. **17** For God

3:15 Eternal life is more than just living forever. Eternal life is something we can have while we are still alive on earth. JK

3:17 Thank you Jesus, that You came into the world to save us, not to condemn us. People like to condemn. JZ

hat seinen Sohn nicht gesandt in die Welt, daß er die Welt richte, sondern daß die Welt durch ihn selig werde. 18 Wer an ihn glaubet, der wird nicht gerichtet; wer aber nicht glaubet, der ist schon gerichtet; denn er glaubet nicht an den Namen des eingebornen Sohnes Gottes. 19 Das ist aber das Gericht, daß das Licht in die Welt kommen ist, und die Menschen liebeten die Finsternis mehr denn das Licht; denn ihre Werke waren böse. 20 Wer Arges tut, der hasset das Licht und kommt nicht an das Licht, auf daß seine Werke nicht gestraft werden. 21 Wer aber die Wahrheit tut, der kommt an das Licht, daß seine Werke offenbar werden; denn sie sind in Gott getan. 22 Danach kam Jesus und seine Jünger in das jüdische Land und hatte daselbst sein Wesen mit ihnen und taufete. 23 Johannes aber taufete auch noch zu Enon, nahe bei Salim; denn es war viel Wassers daselbst. Und sie kamen dahin und ließen sich taufen. 24 Denn Johannes war noch nicht ins Gefängnis gelegt. 25 Da erhub sich eine Frage unter den Jüngern des Johannes samt den Juden über die Reinigung. 26 Und kamen zu Johannes und sprachen zu ihm: Meister, der bei dir war jenseit des Jordans, von dem du zeugtest, siehe, der taufet, und jedermann kommt zu ihm.

nett in di veld kshikt fa di veld fadamma, avvah es di veld deich een saylich vadda kann. 18 Veah an een glawbt is nett fadamd, avvah veah nett an een glawbt, deah is shund fadamd, veil eah nett geglawbt hott an da nohma fumm aynsishta geboahrana Sohn funn Gott. 19 Es gericht is dess: Licht is in di veld kumma, avvah leit henn's dunkla leevah katt es di helling veil iahra verka evil voahra. 20 Fa alli-ebbah es evil dutt, hast's licht, un hald sich vekk funn di helling, fafiah es sei verka auskfunna vadda un kshtrohft vadda. 21 Avvah deah vo di voahret dutt kumd zu di helling so es ma sayna kann es sei verka funn Gott sinn." 22 Noch sellem is Jesus un sei yingah in's land funn Judayya ganga. Datt is eah bei eena gebblivva un hott gedawft. 23 Da Johannes voah aw am dawfa an Enon nayksht an Salim veil feel vassah datt voah, un di leit sinn kumma un henn sich dawfa glost. 24 Fa da Johannes voah no noch nett in di jail gedu. 25 No hott's shtreit gevva zvishich em Johannes sei yingah un di Yudda veyyich di reiniching. 26 Un si sinn zu em Johannes kumma un henn ksawt zu eem, "Meishtah, deah vo bei diah voah drivva uf di annah seit fumm Jordan Revvah, un vo du zeiknis gevva hosht difunn, eah is am dawfa un awl di leit sinn am zu eem gay."

sent not his Son into the world to condemn the world; but that the world through him might be saved. **18** He that believeth on him is not condemned: but he that believeth not is condemned already, because he hath not believed in the name of the only begotten Son of God. **19** And this is the condemnation, that light is come into the world, and men loved darkness rather than light, because their deeds were evil. **20** For every one that doeth evil hateth the light, neither cometh to the light, lest his deeds should be reproved. **21** But he that doeth truth cometh to the light, that his deeds may be made manifest, that they are wrought in God. **22** After these things came Jesus and his disciples into the land of Judaea; and there he tarried with them, and baptized. **23** And John also was baptizing in Aenon near to Salim, because there was much water there: and they came, and were baptized. **24** For John was not yet cast into prison. **25** Then there arose a question between *some* of John's disciples and the Jews about purifying. **26** And they came unto John, and said unto him, Rabbi, he that was with thee beyond Jordan, to whom thou barest witness, behold, the same baptizeth, and all *men* come to him.

3:23 John was baptizing here because there was much water; there must have been immersion. This was a baptism of repentance; a sign that they were repentant for being a sinner. EM

27 Johannes antwortete und sprach: Ein Mensch kann nichts nehmen, es werde ihm denn gegeben vom Himmel. 28 Ihr selbst seid meine Zeugen, daß ich gesagt habe, ich sei nicht Christus, sondern vor ihm her gesandt. 29 Wer die Braut hat, der ist der Bräutigam; der Freund aber des Bräutigams stehet und höret ihm zu und freuet sich hoch über des Bräutigams Stimme. Dieselbige meine Freude ist nun erfüllet. 30 Er muß wachsen, ich aber muß abnehmen. 31 Der von oben her kommt, ist über alle. Wer von der Erde ist, der ist von der Erde und redet von der Erde; der vom Himmel kommt, der ist über alle 32 und zeuget, was er gesehen und gehöret hat; und sein Zeugnis nimmt niemand an. 33 Wer es aber annimmt, der versiegelt es, daß Gott wahrhaftig sei. 34 Denn welchen Gott gesandt hat, der redet Gottes Wort; denn Gott gibt den Geist nicht nach dem Maß. 35 Der Vater hat den Sohn lieb und hat ihm alles in seine Hand gegeben. 36 Wer an den Sohn glaubet, der hat das ewige Leben; wer dem Sohn nicht glaubet, der wird das Leben nicht sehen, sondern der Zorn Gottes bleibt über ihm.

27 No hott da Johannes eena ksawt, "En mensh kann nix greeya unni es es eem gevva is fumm Himmel. 28 Diah selvaht sind mei zeiya es ich ksawt katt habb es ich nett Christus binn, avvah ich voah fannich eem heah kshikt. 29 Deah vo's hochtzich-maydel heiyahra zayld is da hochtzeidah. Da freind fumm hochtzeidah vo uf shtayt un heicht een ab, froit sich oahrich veil eah em hochtzeidah sei shtimm heaht. Fasell is mei frayt nau folkumma. 30 Eah muss vaxa avvah ich muss glennah vadda." 31 "Deah vo kumd funn ovva-heah is ivvah alles. Deah vo kumd funn di eaht is funn di eaht, un shvetzt funn di eaht. Deah vo kumd fumm Himmel is ivvah alles. 32 Eah gebt zeiknis zu vass eah ksenna un keaht hott, avvah nimmand nemd sei zeiknis oh. 33 Veah avvah dess zeiknis ohnemd, eah gebt zeiknis es Gott voah is. 34 Fa deah vo Gott kshikt hott shvetzt di vadda funn Gott; zu eem gebt Gott da Geisht unni en ausmessa. 35 Da Faddah leebt da Sohn un hott alli sacha in sei hand gevva. 36 Deah vo an da Sohn glawbt hott's ayvich layva; deah vo nett an da Sohn glawbt, zayld's layva nett sayna un Gott sei zann bleibt uf eem."

27 John answered and said, A man can receive nothing, except it be given him from heaven. **28** Ye yourselves bear me witness, that I said, I am not the Christ, but that I am sent before him. **29** He that hath the bride is the bridegroom: but the friend of the bridegroom, which standeth and heareth him, rejoiceth greatly because of the bridegroom's voice: this my joy therefore is fulfilled. **30** He must increase, but I *must* decrease. **31** He that cometh from above is above all: he that is of the earth is earthly, and speaketh of the earth: he that cometh from heaven is above all. **32** And what he hath seen and heard, that he testifieth; and no man receiveth his testimony. **33** He that hath received his testimony hath set to his seal that God is true. **34** For he whom God hath sent speaketh the words of God: for God giveth not the Spirit by measure *unto him*. **35** The Father loveth the Son, and hath given all things into his hand. **36** He that believeth on the Son hath everlasting life: and he that believeth not the Son shall not see life; but the wrath of God abideth on him.

3:27 Nothing?! That's right! We have nothing to offer God. We are fully dependent on God to save us from hell and give us eternal life. Do you believe that? JK

3:31 He is above all. Men cannot dictate what heaven can and cannot do. Christ is above all. EM

3:36 The ONLY requirement here for being acceptable before God is belief on the Son. Not that He exists, but that He alone is the only One who can bring you before God. EM

4:1 Da nun der HERR inneward, daß vor die Pharisäer kommen war, wie Jesus mehr Jünger machte und taufte denn Johannes 2 (wiewohl Jesus selber nicht taufte, sondern seine Jünger), 3 verließ er das Land Judäa und zog wieder nach Galiläa. 4 Er mußte aber durch Samaria reisen. 5 Da kam er in eine Stadt Samarias, die heißt Sichar, nahe bei dem Dörflein, das Jakob seinem Sohne Joseph gab. 6 Es war aber daselbst Jakobs Brunnen. Da nun Jesus müde war von der Reise, setzte er sich also auf den Brunnen; und es war um die sechste Stunde. 7 Da kommt ein Weib von Samaria, Wasser zu schöpfen. Jesus spricht zu ihr: Gib mir zu trinken! 8 Denn seine Jünger waren in die Stadt gegangen, daß sie Speise kauften. 9 Spricht nun das samaritische Weib zu ihm: Wie bittest du von mir zu trinken, so du ein Jude bist und ich ein samaritisch Weib? (Denn die Juden haben keine Gemeinschaft mit den Samaritern.) 10 Jesus antwortete und sprach zu ihr: Wenn du erkennetest die Gabe Gottes, und wer der ist, der zu dir sagt: Gib mir zu trinken, du bätest ihn, und er gäbe dir lebendiges Wasser. 11 Spricht zu ihm das Weib: HERR, hast du doch nichts, damit du schöpfest, und der Brunnen ist tief; woher hast du

4:1 Vo da Hah gvist hott es di Pharisayah keaht henn es Jesus am may yingah greeya voah un am may leit dawfa voah es da Johannes, 2 (avvah's voah nett Jesus selvaht vo gedawft hott, avvah sei yingah henn's gedu), 3 hott eah Judayya falossa un is viddah zrikk ganga in Galilaya. 4 Uf em vayk hott eah missa deich Samaria gay. 5 In Samaria is eah in en shtatt kumma es Sychar kaysa hott, nayksht bei em feld es da Jakob zu seim boo da Joseph gevva katt hott. 6 Em Jakob sei brunna voah datt, un veil eah meet voah funn lawfa hott Jesus sich datt an da brunna kokt. Es voah so an di zvelf oowah rumm. 7 No is en veibsmensh funn Samaria kumma fa vassah greeya, un Jesus hott ksawt zu iahra, "Gebb miah en drink." 8 Sei yingah voahra in di shtatt ganga fa ebbes kawfa zu essa. 9 No hott dess veibsmensh funn Samaria ksawt zu Jesus, "Du bisht en Yutt, un ich binn en veibsmensh funn Samaria. Vo heah frohksht du mich fa en drink? Di Yudda henn nix zu du mitt di leit funn Samaria." 10 Jesus hott iahra no ksawt, "Vann du visht vass Gottes kshenk veah, un veah am sawwa is, 'Gebb miah en drink,' daytsht du een frohwa, un eah dayt diah levendich vassah gevva." 11 No hott's veibsmensh ksawt zu eem, "Du hosht nix fa's vassah shebba mitt, un da brunna is deef; vo griksht du

4:1 When therefore the Lord knew how the Pharisees had heard that Jesus made and baptized more disciples than John, **2** (Though Jesus himself baptized not, but his disciples,) **3** He left Judaea, and departed again into Galilee. **4** And he must needs go through Samaria. **5** Then cometh he to a city of Samaria, which is called Sychar, near to the parcel of ground that Jacob gave to his son Joseph. **6** Now Jacob's well was there. Jesus therefore, being wearied with *his* journey, sat thus on the well: *and* it was about the sixth hour. **7** There cometh a woman of Samaria to draw water: Jesus saith unto her, Give me to drink. **8** (For his disciples were gone away unto the city to buy meat.) **9** Then saith the woman of Samaria unto him, How is it that thou, being a Jew, askest drink of me, which am a woman of Samaria? for the Jews have no dealings with the Samaritans. **10** Jesus answered and said unto her, If thou knewest the gift of God, and who it is that saith to thee, Give me to drink; thou wouldest have asked of him, and he would have given thee living water. **11** The woman saith unto him, Sir, thou hast nothing to draw with, and the well is deep: from whence then hast

4:9 Here are two very different people, both outsiders to one another, discussing spiritual things. EM

denn lebendig Waſſer? 12 Biſt du mehr denn unſer Vater Jakob, der uns dieſen Brunnen gegeben hat, und er hat daraus getrunken und ſeine Kinder und ſein Vieh? 13 Jeſus antwortete und ſprach zu ihr: Wer von dieſem Waſſer trinket, den wird wieder dürſten; 14 wer aber von dem Waſſer trinken wird, das ich ihm gebe, den wird ewiglich nicht dürſten, ſondern das Waſſer, das ich ihm geben werde, das wird in ihm ein Brunn des Waſſers werden, das in das ewige Leben quillet. 15 Spricht das Weib zu ihm: HERR, gib mir dasſelbige Waſſer, auf daß mich nicht dürſte, daß ich nicht herkommen müſſe zu ſchöpfen. 16 Jeſus ſpricht zu ihr: Gehe hin, rufe deinen Mann und komm her! 17 Das Weib antwortete und ſprach zu ihm: Ich habe keinen Mann. Jeſus ſpricht zu ihr: Du haſt recht geſagt: Ich habe keinen Mann. 18 Fünf Männer haſt du gehabt, und den du nun haſt, der iſt nicht dein Mann. Da haſt du recht geſagt. 19 Das Weib ſpricht zu ihm: HERR, ich ſehe, daß du ein Prophet biſt. 20 Unſere Väter haben auf dieſem Berge angebetet, und ihr ſaget, zu Jeruſalem ſei die Stätte, da man anbeten ſolle. 21 Jeſus ſpricht zu ihr: Weib, glaube mir, es kommt die Zeit, da ihr weder auf dieſem Berge noch zu Jeruſalem werdet den Vater anbeten. 22 Ihr wiſſet nicht, was ihr anbetet; wir wiſſen

dess levendich vassah? 12 Bisht du graysah es unsah faddah, da Jakob, vo uns deah brunna gevva hott, un eah un sei kinnah henn raus gedrunka, un aw sei fee?" 13 Jesus hott ksawt zu iahra, "Alli-ebbah es dess vassah drinkt vatt viddah dashtich, 14 avvah veah's vassah drinkt es ich eem gebb, vatt nee nimmi dashtich; es vassah vass ich eem gebb vatt en shpring in eem es ivvah-lawft zu ayvich layva." 15 No hott's veibsmensh ksawt zu eem, "Gebb miah sell vassah, so es ich nimmi dashtich va, un nimmi do heah kumma muss fa vassah greeya." 16 Jesus hott no ksawt zu iahra, "Gay un grikk dei mann un kumm viddah do heah." 17 Es veibsmensh hott ksawt zu eem, "Ich habb kenn mann." Jesus hott iahra ksawt, "Du hosht di voahret ksawt es du kenn mann hosht. 18 Du hosht shund fimf mennah katt, un da vann es du nau hosht is nett dei mann. Datt hosht du di voahret ksawt." 19 Es veibsmensh hott no ksawt zu eem, "Ich sayn es du en brofayt bisht. 20 Unsah foahfeddah henn Gott ohgebayt uf demm hivvel, avvah diah Yudda maynet leit sedda Gott ohbayda in di shtatt funn Jerusalem." 21 No hott Jesus zu iahra ksawt, "Glawb miah, veibsmensh, di zeit is am kumma vann du nett da Faddah ohbaydsht do uf demm hivvel adda in Jerusalem. 22 Diah visset nett vass diah ohbaydet;

thou that living water? **12** Art thou greater than our father Jacob, which gave us the well, and drank thereof himself, and his children, and his cattle? **13** Jesus answered and said unto her, Whosoever drinketh of this water shall thirst again: **14** But whosoever drinketh of the water that I shall give him shall never thirst; but the water that I shall give him shall be in him a well of water springing up into everlasting life. **15** The woman saith unto him, Sir, give me this water, that I thirst not, neither come hither to draw. **16** Jesus saith unto her, Go, call thy husband, and come hither. **17** The woman answered and said, I have no husband. Jesus said unto her, Thou hast well said, I have no husband: **18** For thou hast had five husbands; and he whom thou now hast is not thy husband: in that saidst thou truly. **19** The woman saith unto him, Sir, I perceive that thou art a prophet. **20** Our fathers worshipped in this mountain; and ye say, that in Jerusalem is the place where men ought to worship. **21** Jesus saith unto her, Woman, believe me, the hour cometh, when ye shall neither in this mountain, nor yet at Jerusalem, worship the Father. **22** Ye worship ye know not what: we know what we worship: for salvation is

4:14 Jesus was saying that once we drink of His living water by being born again (John 3:3), we will never thirst again. It is a one time event! JK

4:15 The woman asked for a drink, meaning she became a believer at that very instant. Romans 10:13 says, "whosoever calls upon the name of the Lord shall be saved." Have you called yet? JK

aber was wir anbeten; denn das Heil kommt von den Juden. 23 Aber es kommt die Zeit und ist schon jetzt, daß die wahrhaftigen Anbeter werden den Vater anbeten im Geist und in der Wahrheit; denn der Vater will auch haben, die ihn also anbeten. 24 Gott ist ein Geist, und die ihn anbeten, die müssen ihn im Geist und in der Wahrheit anbeten. 25 Spricht das Weib zu ihm: Ich weiß, daß der Messias kommt, der da Christus heißt. Wenn derselbige kommen wird, so wird er's uns alles verkündigen. 26 Jesus spricht zu ihr: Ich bin's, der mit dir redet. 27 Und über dem kamen seine Jünger, und es nahm sie wunder, daß er mit dem Weibe redete? Doch sprach niemand: Was fragest du? oder: Was redest du mit ihr? 28 Da ließ, das Weib ihren Krug stehen und ging hin in die Stadt und spricht zu den Leuten: 29 Kommet, sehet einen Menschen, der mir gesagt hat alles, was ich getan habe, ob er nicht Christus sei. 30 Da gingen sie aus der Stadt und kamen zu ihm. 31 Indes aber ermahneten ihn die Jünger und sprachen: Rabbi, iß! 32 Er aber sprach zu ihnen: Ich habe eine Speise zu essen, davon wisset ihr nicht. 33 Da sprachen die Jünger untereinander: Hat ihm jemand zu essen gebracht? 34 Jesus spricht zu ihnen: Meine Speise ist die, daß ich tue den Willen des, der mich gesandt hat, und vollende sein Werk.

miah vissa vass miah ohbayda veil di saylichkeit funn di Yudda kumd. 23 Avvah di zeit kumd, un is nau shund do, vann dee vo da Faddah recht ohbayda doon, bayda een oh im Geisht un in di voahheit; fa sell is di satt leit es da Faddah sucht fa een ohbayda. 24 Gott is Geisht, un dee vo een ohbayda, missa een ohbayda im Geisht un in di voahheit." 25 Dess veibsmensh hott no ksawt zu eem, "Ich vays es da Messias kumma zayld, da vann vo Christus hayst; vann eah moll kumd macht eah alles bekand zu uns." 26 No hott Jesus ksawt zu iahra, "Ich binn een, deah vo du am shvetza bisht ditzu." 27 Yusht no sinn di yingah kumma. Si voahra fashtaund es eah am shvetza voah zumm veibsmensh, avvah nimmand hott kfrohkt, "Vass vitt du?" adda, "Favass shvetsht du mitt iahra?" 28 No hott's veibsmensh iahra vassah-tsheah datt glost, is zrikk nei in di shtatt ganga un hott ksawt zu di leit, 29 "Kummet un saynet en mann es miah alles ksawt hott es ich selayva gedu habb. Is dess nett Christus?" 30 Si sinn aus di shtatt ganga un sinn zu eem kumma. 31 An selli zeit sinn di yingah zu eem kumma un henn ksawt, "Meishtah, nemm ebbes zu essa." 32 Avvah eah hott ksawt zu eena, "Ich habb ess-sach zu essa es diah nix visset difunn." 33 No henn di yingah nannah kfrohkt, "Hott ebbah eem ess-sach gebrocht?" 34 Jesus hott ksawt zu eena, "Mei ess-sach is fa da villa du funn demm vo mich kshikt hott, un fa sei eah vet faddich macha.

of the Jews. **23** But the hour cometh, and now is, when the true worshippers shall worship the Father in spirit and in truth: for the Father seeketh such to worship him. **24** God *is* a Spirit: and they that worship him must worship *him* in spirit and in truth. **25** The woman saith unto him, I know that Messias cometh, which is called Christ: when he is come, he will tell us all things. **26** Jesus saith unto her, I that speak unto thee am *he*. **27** And upon this came his disciples, and marvelled that he talked with the woman: yet no man said, What seekest thou? or, Why talkest thou with her? **28** The woman then left her waterpot, and went her way into the city, and saith to the men, **29** Come, see a man, which told me all things that ever I did: is not this the Christ? **30** Then they went out of the city, and came unto him. **31** In the mean while his disciples prayed him, saying, Master, eat. **32** But he said unto them, I have meat to eat that ye know not of. **33** Therefore said the disciples one to another, Hath any man brought him *ought* to eat? **34** Jesus saith unto them, My meat is to do the will of him that sent me, and to finish his work.

4:23 Law followers know how to give lip service, but those who have been born again, worship from their inner being. JK

4:24 There's no use being fake when worshiping – Jesus knows. JZ

4:29 If she could be saved, then all men and women can too. JZ

35 Saget ihr nicht selber: Es sind noch vier Monden, so kommt die Ernte? Siehe, ich sage euch: Hebet eure Augen auf und sehet in das Feld; denn es ist schon weiß zur Ernte; 36 und wer da schneidet, der empfänget Lohn und sammelt Frucht zum ewigen Leben, auf daß sich miteinander freuen, der da säet und der da schneidet. 37 Denn hier ist der Spruch wahr: Dieser säet, der andere schneidet. 38 Ich habe euch gesandt zu schneiden, das ihr nicht habt gearbeitet; andere haben gearbeitet, und ihr seid in ihre Arbeit kommen. 39 Es glaubten aber an ihn viel der Samariter aus derselbigen Stadt um des Weibes Rede willen, welches da zeugete: Er hat mir gesagt alles, was ich getan habe. 40 Als nun die Samariter zu ihm kamen, baten sie ihn, daß er bei ihnen bliebe. Und er blieb zwei Tage da. 41 Und viel mehr glaubeten um seines Worts willen 42 und sprachen zum Weibe: Wir glauben nun hinfort nicht um deiner Rede willen; wir haben selber gehöret und erkannt, daß dieser ist wahrlich Christus, der Welt Heiland. 43 Aber nach zwei Tagen zog er aus von dannen und zog nach Galiläa. 44 Denn er selber, Jesus, zeugete, daß ein Prophet daheim nichts gilt. 45 Da er nun nach Galiläa kam, nahmen ihn die Galiläer auf, die gesehen hatten alles, was

35 Sawwet nett, 'Noch fiah moonet no kumd di eahn?' Ich sawk eich, machet eiyah awwa uf un gukket vi di feldah nau shund veis sinn fa di eahn? 36 Deah vo di frucht ab macht vatt betzawld, un eah sammeld frucht fa's ayvich layva, so es sellah vo sayt un sellah vo eahnd mitt-nannah sich froiya kenna. 37 In demm is es kshvetz voah vo sawkt, 'Aynah sayt un da annah eahnd.' 38 Ich shikk eich naus fa sell eahnda vo diah nett kshaft hend difoah. Anri henn kshaft, avvah diah greeyet di frucht funn iahra eahvet." 39 Feel leit funn selli shtatt in Samaria henn geglawbt an een deich em veibsmensh iahra zeiknis vo see ksawt hott, "Eah hott miah alles ksawt es ich selayva gedu habb." 40 No vo di leit funn Samaria zu eem kumma sinn, henn si een kfrohkt fa bei eena bleiva, un eah is zvay dawk datt geblivva. 41 Un feel may henn an een geglawbt deich sei vatt. 42 Si henn no zumm veibsmensh ksawt, "Es is nau nimmi deich dei vadda es miah glawva, fa miah henn keaht fa uns selvaht, un miah vissa es dess Christus, da Heiland funn di veld is." 43 Zvay dawk shpaydah hott eah datt falossa fa noch Galilaya gay. 44 Fa Jesus hott selvaht ksawt es nimmand gukt nuff zu ma brofayt in sei aykni nochbahshaft. 45 Vo eah in Galilaya kumma is, voahra di Galilayah froh fa een

35 Say not ye, There are yet four months, and *then* cometh harvest? behold, I say unto you, Lift up your eyes, and look on the fields; for they are white already to harvest. **36** And he that reapeth receiveth wages, and gathereth fruit unto life eternal: that both he that soweth and he that reapeth may rejoice together. **37** And herein is that saying true, One soweth, and another reapeth. **38** I sent you to reap that whereon ye bestowed no labour: other men laboured, and ye are entered into their labours. **39** And many of the Samaritans of that city believed on him for the saying of the woman, which testified, He told me all that ever I did. **40** So when the Samaritans were come unto him, they besought him that he would tarry with them: and he abode there two days. **41** And many more believed because of his own word; **42** And said unto the woman, Now we believe, not because of thy saying: for we have heard *him* ourselves, and know that this is indeed the Christ, the Saviour of the world. **43** Now after two days he departed thence, and went into Galilee. **44** For Jesus himself testified, that a prophet hath no honour in his own country. **45** Then when he was come into

4:35 As Jesus was telling this to His disciples, He was probably looking at all the people coming out of the city of Sychar. EM

4:39 What was the result of their belief? Does Jesus say that there is anything additional that they still needed to do? EM

4:41 Amazing how one woman could fire up a whole city for God. JK

4:44 Caution: when you follow Christ as your Lord and Savior, your family might not like it. Don't worry, the same kind of thing happened to Jesus Himself. JZ

er zu Jerusalem auf dem Fest getan hatte. Denn sie waren auch zum Fest kommen. 46 Und Jesus kam abermal gen Kana in Galiläa, da er das Wasser hatte zu Wein gemacht 47 Und es war ein Königischer, des Sohn lag krank zu Kapernaum. Dieser hörete, daß Jesus kam aus Judäa in Galiläa, und ging hin zu ihm und bat ihn, daß er hinab käme und hülfe seinem Sohn; denn er war todkrank. 48 Und Jesus sprach zu ihm: Wenn ihr nicht Zeichen und Wunder sehet, so glaubet ihr nicht. 49 Der Königische sprach zu ihm: HERR, komm hinab, ehe denn mein Kind stirbt! 50 Jesus spricht zu ihm: Gehe hin, dein Sohn lebet. Der Mensch glaubete dem Wort, das Jesus zu ihm sagte, und ging hin. 51 Und indem er hinabging, begegneten ihm seine Knechte, verkündigten ihm und sprachen: Dein Kind lebet. 52 Da forschete er von ihnen die Stunde, in welcher es besser mit ihm worden war. Und sie sprachen zu ihm: Gestern um die siebente Stunde verließ ihn das Fieber. 53 Da merkte der Vater, daß es um die Stunde wäre, in welcher Jesus zu ihm gesagt hatte: Dein Sohn lebet. Und er glaubete mit seinem ganzen Hause. 54 Das ist nun das andere Zeichen, das Jesus tat, da er aus Judäa nach Galiläa kam.

sayna. Si henn alles ksenna es eah gedu katt hott in Jerusalem am Ohshtah-Fesht, veil si aw datt gvest voahra. 46 No is eah viddah an Kana in Galilaya kumma vo eah vassah in vei gmacht katt hott. Un an Kapernaum voah en ivvah-saynah es en grankah boo katt hott. 47 Vo eah keaht hott es Jesus funn Judayya zu Galilaya kumma voah, is eah zu eem ganga un hott ohkalda an eem es eah kumma soll sei boo hayla, fa eah voah shtauves grank. 48 Jesus hott ksawt zu eem, "Unni es du zaycha un vundahboahri sacha saynsht dusht du nett glawva." 49 Avvah da mann hott ksawt zu eem, "Hah, kumm runnah eb mei kind shteahbt." 50 Jesus hott ksawt zu eem, "Gay, dei boo zayld layva." Da mann hott Jesus sei vadda geglawbt un is ganga. 51 Vi eah am nunnah gay voah, henn sei gnechta een ohgedroffa un henn eem ksawt es sei boo laybt. 52 No hott eah si kfrohkt vass zeit es es voah vo eah ohkfanga hott bessah vadda, un si henn ksawt, "Geshtah an di sivvet shtund hott's feevah een falossa." 53 Da faddah hott gvist es sell di shtund voah vo Jesus ksawt katt hott zu eem, "Dei boo zayld layva." Fasell hott eah un sei gansi haus-halding geglawbt. 54 Sell voah nau da zvett zaycha es Jesus gedu hott vo eah funn Judayya zu Galilaya kumma voah.

Galilee, the Galilaeans received him, having seen all the things that he did at Jerusalem at the feast: for they also went unto the feast. **46** So Jesus came again into Cana of Galilee, where he made the water wine. And there was a certain nobleman, whose son was sick at Capernaum. **47** When he heard that Jesus was come out of Judaea into Galilee, he went unto him, and besought him that he would come down, and heal his son: for he was at the point of death. **48** Then said Jesus unto him, Except ye see signs and wonders, ye will not believe. **49** The nobleman saith unto him, Sir, come down ere my child die. **50** Jesus saith unto him, Go thy way; thy son liveth. And the man believed the word that Jesus had spoken unto him, and he went his way. **51** And as he was now going down, his servants met him, and told *him*, saying, Thy son liveth. **52** Then enquired he of them the hour when he began to amend. And they said unto him, Yesterday at the seventh hour the fever left him. **53** So the father knew that *it was* at the same hour, in the which Jesus said unto him, Thy son liveth: and himself believed, and his whole house. **54** This *is* again the second miracle *that* Jesus did, when he was come out of Judaea into Galilee.

4:47 This is an effect of the curse of sin on man. Through this difficult time though, God revealed Himself to this man and his family. EM

4:50 It doesn't do much good to pray, if we don't believe. JZ

5:1 Danach war ein Fest der Juden, und Jesus zog hinauf gen Jerusalem. 2 Es ist aber zu Jerusalem bei dem Schafhause ein Teich, der heißt auf ebräisch Bethesda und hat fünf Hallen, 3 in welchen lagen viel Kranke, Blinde, Lahme, Dürre; die warteten, wenn sich das Wasser bewegte. 4 Denn ein Engel fuhr herab zu seiner Zeit in den Teich und bewegte das Wasser. Welcher nun der erste, nachdem das Wasser beweget war, hineinstieg, der ward gesund, mit welcherlei Seuche er behaftet war. 5 Es war aber ein Mensch daselbst, achtunddreißig Jahre krank gelegen. 6 Da Jesus denselbigen sah liegen und vernahm, daß er so lange gelegen hatte, spricht er zu ihm: Willst du gesund werden? 7 Der Kranke antwortete ihm: HERR, ich habe keinen Menschen, wenn das Wasser sich beweget, der mich in den Teich lasse; und wenn ich komme, so steiget ein anderer vor mir hinein. 8 Jesus spricht zu ihm: Stehe auf, nimm dein Bett und gehe hin! 9 Und alsbald ward der Mensch gesund und nahm sein Bett und ging hin. Es war aber desselbigen Tages der Sabbat. 10 Da sprachen die Juden zu dem, der gesund war worden: Es ist heute Sabbat; es ziemt dir nicht, das Bett zu tragen.

5:1 Noch demm is Jesus nuff an Jerusalem ganga fa en feiyah-dawk-fesht funn di Yudda. 2 Nau in Jerusalem is en vassah-loch es di Yudda Bethesda kaysa henn. Dess vassah voah nayksht bei em shohf-doah un hott fimf poahtsha katt. 3 In dee poahtsha voahra feel gegribbeldi un granki leit. Dayl voahra blind, dayl lohm un dayl voahra shteif un henn nett lawfa kenna. Si voahra awl am voahra datt bei em vassah es es uf kshtatt vatt. 4 Fa alsamohl is en engel nunnah in's vassah ganga un hott's uf kshtatt. Veah-evvah es seahsht in's vassah ganga is noch demm es es uf kshtatt voah is kayld vadda funn sei granket. 5 Ay mann voah datt es shund acht un dreisich yoah grank voah. 6 Vo Jesus een ksenna hott un fanumma hott es eah shund lang datt leit, hott eah een kfrohkt, "Vitt du kayld sei?" 7 Avvah da grank mann hott ksawt zu eem, "Meishtah, ich habb nimmand fa mich in's vassah du noch demm es es uf kshtatt vatt. Diveil es ich am gay binn gayt en anra nei eb ich." 8 Jesus hott no ksawt zu eem, "Shtay uf, nemm dei bett un lawf." 9 Grawt voah da mann kayld, un eah hott sei bett gnumma un is fatt gloffa. Nau dess hott blatz gnumma uf em Sabbat. 10 No henn di Yudda ksawt zumm mann es kayld voah, "Heit is da Sabbat. Es Ksetz alawbt dich nett fa dei bett drawwa."

5:1 After this there was a feast of the Jews; and Jesus went up to Jerusalem. **2** Now there is at Jerusalem by the sheep *market* a pool, which is called in the Hebrew tongue Bethesda, having five porches. **3** In these lay a great multitude of impotent folk, of blind, halt, withered, waiting for the moving of the water. **4** For an angel went down at a certain season into the pool, and troubled the water: whosoever then first after the troubling of the water stepped in was made whole of whatsoever disease he had. **5** And a certain man was there, which had an infirmity thirty and eight years. **6** When Jesus saw him lie, and knew that he had been now a long time *in that case*, he saith unto him, Wilt thou be made whole? **7** The impotent man answered him, Sir, I have no man, when the water is troubled, to put me into the pool: but while I am coming, another steppeth down before me. **8** Jesus saith unto him, Rise, take up thy bed, and walk. **9** And immediately the man was made whole, and took up his bed, and walked: and on the same day was the sabbath. **10** The Jews therefore said unto him that was cured, It is the sabbath day: it is not lawful for thee to carry *thy* bed.

5:4 People spend thousands of dollars to seek out medical cures, but they don't put much effort into prayer and seeking healing that comes from God alone. JK

5:10 Rather than acknowledge the miracle and the One who had done it, the Jews focused on the fact that it had happened on a Sabbath day. They were missing the fact of who it was that was standing before them. EM

11 Er antwortete ihnen: Der mich gesund machte, der sprach zu mir: Nimm dein Bett und gehe hin. 12 Da fragten sie ihn: Wer ist der Mensch, der zu dir gesagt hat: Nimm dein Bett und gehe hin? 13 Der aber gesund war worden, wußte nicht, wer er war; denn Jesus war gewichen, da so viel Volks an dem Ort war. 14 Danach fand ihn Jesus im Tempel und sprach zu ihm: Siehe zu, du bist gesund worden; sündige hinfort nicht mehr, daß dir nicht etwas Ärgeres widerfahre! 15 Der Mensch ging hin und verkündigte es den Juden, es sei Jesus, der ihn gesund gemacht habe. 16 Darum verfolgten die Juden Jesum und suchten ihn zu töten, daß er solches getan hatte auf den Sabbat. 17 Jesus aber antwortete ihnen: Mein Vater wirket bisher, und ich wirke auch. 18 Darum trachteten ihm die Juden nun viel mehr nach, daß sie ihn töteten, daß er nicht allein den Sabbat brach, sondern sagte auch, Gott sei sein Vater, und machte sich selbst Gott gleich. 19 Da antwortete Jesus und sprach zu ihnen: Wahrlich, wahrlich, ich sage euch, der Sohn kann nichts von ihm selber tun, denn was er siehet den Vater tun; denn was derselbige tut, das tut gleich auch der Sohn. 20 Der Vater aber hat den Sohn lieb und zeiget ihm alles, was er tut, und wird ihm

11 Avvah eah hott eena ksawt, "Da mann vo mich kayld hott, hott ksawt zu miah, 'Nemm dei bett un lawf.'" 12 Si henn een no kfrohkt, "Veah is deah mann vo ksawt hott zu diah, 'Nemm dei bett un lawf'?" 13 Da mann es kayld voah hott nett gvist veah's voah, veil Jesus shund vekk ganga voah un's voahra feel leit datt. 14 Shpaydah hott Jesus een kfunna im tempel un hott ksawt zu eem, "Gukk, du bisht ksund vadda. Gay un du nimmi sinda, so es nett ebbes shlimmahs ivvah dich kumd." 15 Da mann is no ganga un hott di Yudda ksawt es es voah Jesus vo een kayld hott. 16 Un sell is favass es di Yudda Jesus fafolkt henn, un een doht macha henn vella, veil eah dess gedu hott uf em Sabbat-Dawk. 17 Avvah Jesus hott eena ksawt, "Mei Faddah is alsnoch am shaffa, un ich binn aw am shaffa." 18 Sell voah favass es di Yudda alsnoch may een doht macha henn vella. Es voah nett yusht veil eah da Sabbat gebrocha hott, avvah aw veil eah Gott sei Faddah kaysa hott, un hott sich gleicha gmacht mitt Gott. 19 Jesus hott ksawt zu eena, "Voahlich, voahlich, ich sawk eich, da Sohn kann nix du funn sich selvaht avvah yusht vass eah da Faddah saynd du, veil vass-evvah es eah dutt, so dutt da Sohn aw. 20 Da Faddah leebt da Sohn, un veist eem alles es eah

11 He answered them, He that made me whole, the same said unto me, Take up thy bed, and walk. 12 Then asked they him, What man is that which said unto thee, Take up thy bed, and walk? 13 And he that was healed wist not who it was: for Jesus had conveyed himself away, a multitude being in *that* place. 14 Afterward Jesus findeth him in the temple, and said unto him, Behold, thou art made whole: sin no more, lest a worse thing come unto thee. 15 The man departed, and told the Jews that it was Jesus, which had made him whole. 16 And therefore did the Jews persecute Jesus, and sought to slay him, because he had done these things on the sabbath day. 17 But Jesus answered them, My Father worketh hitherto, and I work. 18 Therefore the Jews sought the more to kill him, because he not only had broken the sabbath, but said also that God was his Father, making himself equal with God. 19 Then answered Jesus and said unto them, Verily, verily, I say unto you, The Son can do nothing of himself, but what he seeth the Father do: for what things soever he doeth, these also doeth the Son likewise. 20 For the Father loveth the Son, and sheweth him all things that himself doeth: and he will shew

5:14 I wonder if this man was scared of what would happen if he sinned? What about you? Intentional sin is far worse than simply making mistakes. JZ

5:16 The harder we try to earn heaven by following the law, the more we'll be shown we're sinners. Only Christ was perfect and therefore can stand before God and intercede for us on judgement day. JZ

noch größere Werke zeigen, daß ihr euch verwundern werdet. 21 Denn wie der Vater die Toten auferweckt und machet sie lebendig, also auch der Sohn machet lebendig, welche er will. 22 Denn der Vater richtet niemand, sondern alles Gericht hat er dem Sohn gegeben, 23 auf daß sie alle den Sohn ehren, wie sie den Vater ehren. Wer den Sohn nicht ehret, der ehret den Vater nicht, der ihn gesandt hat. 24 Wahrlich, wahrlich, ich sage euch: Wer mein Wort höret und glaubet dem, der mich gesandt hat, der hat das ewige Leben und kommt nicht in das Gericht, sondern er ist vom Tode zum Leben hindurchgedrungen. 25 Wahrlich, wahrlich, ich sage euch: Es kommt die Stunde und ist schon jetzt, daß die Toten werden die Stimme des Sohnes Gottes hören; und die sie hören werden, die werden leben. 26 Denn wie der Vater das Leben hat in ihm selber, also hat er dem Sohn gegeben, das Leben zu haben in ihm selber 27 Und hat ihm Macht gegeben, auch das Gericht zu halten, darum daß er des Menschen Sohn ist. 28 Verwundert euch des nicht; denn es kommt die Stunde, in welcher alle, die in den Gräbern sind, werden seine Stimme hören 29 und werden hervorgehen, die da Gutes getan haben, zur Auferstehung des Lebens, die aber Übels getan haben, zur Auferstehung des Gerichts. 30 Ich kann nichts von mir selber

selvaht am du is; un graysahri verka es dess veist eah eem, so es diah eich fashtaunet. 21 Vi da Faddah di dohda uf vekt un gebt eena layva, so gebt da Sohn aw layva zu veah-evvah es eah vill. 22 Da Faddah richt nimmand avvah eah hott's richtes alles im Sohn sei hend gevva, 23 so es alli-ebbah da Sohn eahra dutt, grawt vi si da Faddah eahra doon. Deah vo da Sohn nett eaht, dutt aw nett da Faddah eahra vo een kshikt hott. 24 Voahlich, voahlich, ich sawk eich, deah vo mei vadda heaht un glawbt an deah vo mich kshikt hott, hott's ayvich layva un soll nett fad-amd vadda, avvah eah is fumm dohda zumm layva kumma. 25 Voahlich, voahlich, ich sawk eich, di zeit is am kumma, un is nau do, vann di dohda em Sohn Gottes sei shtimm heahra, un selli es heahra, zayla layva. 26 Vi da Faddah layva in sich selvaht hott, so hott eah em Sohn aw's gevva fa layva in sich selvaht havva, 27 un hott eem's recht gevva fa richta, veil eah da Mensha Sohn is. 28 Fashtaunet eich nett veyyich demm. Di zeit is am kumma vann awl dee vo in di grayvah sinn sei shtimm heahra zayla, 29 un zayla uf shtay. Selli vo recht gedu henn shtayn uf funn di dohda zu layva; selli vo letz gedu henn shtayn uf funn di dohda zu fadamnis. 30 Ich kann nix du bei miah selvaht.

him greater works than these, that ye may marvel. **21** For as the Father raiseth up the dead, and quickeneth *them*; even so the Son quickeneth whom he will. **22** For the Father judgeth no man, but hath committed all judgment unto the Son: **23** That all *men* should honour the Son, even as they honour the Father. He that honoureth not the Son honoureth not the Father which hath sent him. **24** Verily, verily, I say unto you, He that heareth my word, and believeth on him that sent me, hath everlasting life, and shall not come into condemnation; but is passed from death unto life. **25** Verily, verily, I say unto you, The hour is coming, and now is, when the dead shall hear the voice of the Son of God: and they that hear shall live. **26** For as the Father hath life in himself; so hath he given to the Son to have life in himself; **27** And hath given him authority to execute judgment also, because he is the Son of man. **28** Marvel not at this: for the hour is coming, in the which all that are in the graves shall hear his voice, **29** And shall come forth; they that have done good, unto the resurrection of life; and they that have done evil, unto the resurrection of damnation. **30** I can of mine own self do nothing: as I hear, I judge: and

5:24 Jesus said that if we hear and believe, we already have everlasting life. We have passed from death to life. What a wonderful Savior! SW

5:24 Jesus did not say anything here about our works, the way we live — only believing. Why is that? EM

5:29 There doesn't seem to be any doubt — If we intentionally go about doing evil, we won't end up in heaven. We are saved by grace alone, but we can reject that salvation by not living for the Lord. Fortunately, the Holy Spirit gives us power to be overcomers. JZ

tun. Wie ich höre, so richte ich, und mein Gericht ist recht; denn ich suche nicht meinen Willen, sondern des Vaters Willen, der mich gesandt hat. 31 So ich von mir selbst zeuge, so ist mein Zeugnis nicht wahr. 32 Ein anderer ist's, der von mir zeuget; und ich weiß, daß das Zeugnis wahr ist, das er von mir zeuget. 33 Ihr schicktet zu Johannes, und er zeugete von der Wahrheit. 34 Ich aber nehme nicht Zeugnis von Menschen, sondern solches sage ich, auf daß ihr selig werdet. 35 Er war ein brennend und scheinend Licht; ihr aber wolltet eine kleine Weile fröhlich sein von seinem Licht. 36 Ich aber habe ein größer Zeugnis denn des Johannes Zeugnis; denn die Werke, die mir der Vater gegeben hat, daß ich sie vollende, dieselbigen Werke, die ich tue, zeugen von mir, daß mich der Vater gesandt habe. 37 Und der Vater, der mich gesandt hat, derselbige hat von mir gezeuget. Ihr habt nie weder seine Stimme gehöret noch seine Gestalt gesehen. 38 Und sein Wort habt ihr nicht in euch wohnend; denn ihr glaubet dem nicht, den er gesandt hat. 39 Suchet in der Schrift; denn ihr meinet, ihr habt das ewige Leben darinnen; und sie ist's, die von mir zeuget. 40 Und ihr wollt nicht zu mir kommen, daß ihr das Leben haben möchtet. 41 Ich nehme nicht Ehre von Menschen. 42 Aber ich kenne euch, daß ihr nicht Gottes Liebe in euch habt. 43 Ich bin

So vi ich heah, so richt ich, un mei richtes is gerecht, veil ich nett such fa mei ayknah villa avvah demm sei villa vo mich kshikt hott." 31 "Vann ich zeiknis gebb veyyich miah selvaht is mei zeiknis nett voah. 32 Es is en anrah vo zeiknis gebt veyyich miah, un ich vays es sei zeiknis veyyich miah voah is. 33 Diah hend leit zumm Johannes kshikt, un eah hott eich di voahret ksawt. 34 Es is nett es ich zeiknis nemm funn mensha, avvah ich sawk dess so es diah saylich vadda kennet. 35 Da Johannes voah en licht am brenna un am sheina, un diah hend eich kfroit in seim licht fa en veil. 36 Avvah's zeiknis es ich habb is graysah vi sell fumm Johannes; fa di eahvet es da Faddah miah gevva hott zu du; sell is, di sacha es ich am du binn, dee gevva zeiknis veyyich miah, un es da Faddah mich kshikt hott. 37 Un da Faddah vo mich kshikt hott, hott selvaht zeiknis gevva veyyich miah. Sei shtimm hend diah nee nett keaht un sei leib nee nett ksenna. 38 Un sei Vatt is nett am in eich bleiva; fa diah glawvet nett an deah vo eah kshikt hott. 39 Diah suchet in di Shrift veil diah maynet es deich sell hend diah ayvich layva. Dess is di naymlich Shrift vo zeiknis gebt veyyich miah. 40 Avvah diah vellet nett zu miah kumma so es diah layva havva kennet. 41 Ich nemm kenn eah oh funn mensha, 42 avvah ich vays es diah Gott sei leevi nett in eich hend. 43 Ich binn kumma in meim Faddah sei

my judgment is just; because I seek not mine own will, but the will of the Father which hath sent me. **31** If I bear witness of myself, my witness is not true. **32** There is another that beareth witness of me; and I know that the witness which he witnesseth of me is true. **33** Ye sent unto John, and he bare witness unto the truth. **34** But I receive not testimony from man: but these things I say, that ye might be saved. **35** He was a burning and a shining light: and ye were willing for a season to rejoice in his light. **36** But I have greater witness than *that* of John: for the works which the Father hath given me to finish, the same works that I do, bear witness of me, that the Father hath sent me. **37** And the Father himself, which hath sent me, hath borne witness of me. Ye have neither heard his voice at any time, nor seen his shape. **38** And ye have not his word abiding in you: for whom he hath sent, him ye believe not. **39** Search the scriptures; for in them ye think ye have eternal life: and they are they which testify of me. **40** And ye will not come to me, that ye might have life. **41** I receive not honour from men. **42** But I know you, that ye have not the love of God in you. **43** I am come in my

5:35 Those who experience the second birth are like shining lights in a dark world. JK

5:38 That was me. I knew there was a God, and Jesus, but I didn't have God's Word abiding in me. Jesus is God's Word, and now He abides in me. That is good news. JZ

5:43 Warning – don't follow men! JZ

kommen in meines Vaters Namen, und ihr nehmet mich nicht an. So ein anderer wird in seinem eigenen Namen kommen, den werdet ihr annehmen. 44 Wie könnet ihr glauben, die ihr Ehre voneinander nehmet? Und die Ehre, die von Gott allein ist, suchet ihr nicht. 45 Ihr sollt nicht meinen, daß ich euch vor dem Vater verklagen werde. Es ist einer, der euch verklaget, der Mose, auf welchen ihr hoffet. 46 Wenn ihr Mose glaubtet, so glaubtet ihr auch mir; denn er hat von mir geschrieben. 47 So ihr aber seinen Schriften nicht glaubet, wie werdet ihr meinen Worten glauben?

6:1 Danach fuhr Jesus weg über das Meer an der Stadt Tiberias in Galiläa. 2 Und es zog ihm viel Volks nach, darum daß sie die Zeichen sahen, die er an den Kranken tat. 3 Jesus aber ging hinauf auf einen Berg und setzte sich daselbst mit seinen Jüngern. 4 Es war aber nahe Ostern, der Juden Fest. 5 Da hub Jesus seine Augen auf und siehet, daß viel Volks zu ihm kommt, und spricht zu Philippus: Wo kaufen wir Brot, daß diese essen? 6 (Das sagte er aber, ihn zu versuchen; denn er wußte wohl, was er tun wollte.) 7 Philippus antwortete ihm: Für zweihundert Pfennig Brot ist nicht genug unter sie,

nohma, un diah hend mich nett ohgnumma. Vann en anrah kumd in seim ayknah nohma, een doond diah ohnemma. 44 Vi kennet diah glawva vann diah yusht di eah nemmet funn-nannah un suchet nett di eah vo kumd fumm aynsishta Gott? 45 Denket nett es ich eich pshuldicha zayl fannich em Faddah. Es is da Mosi, deah vo diah eiyah hofning druff doond, es eich pshuldicha zayld. 46 Vann diah em Mosi geglawbt heddet, daydet diah aw miah glawva, veil eah kshrivva hott veyya miah. 47 Avvah vann diah sei shreives nett glawvet, vi vellet diah mei vadda glawva?"

6:1 Noch demm, is Jesus uf di annah seit fumm Say funn Galilaya ganga. Sell is da Say funn Tiberias. 2 Un feel leit sinn eem nohch kumma veil si di zaycha ksenna henn es eah gedu katt hott mitt di granka. 3 Jesus is nuff ganga uf en hivvel un hott sich datt anna kokt mitt sei yingah. 4 Nau di zeit voah nayksht fa di Yudda iahra Ohshtah-Fesht. 5 No hott eah ufgegukt, hott naus ivvah awl di leit gegukt es am zu eem kumma voahra, un hott ksawt zumm Philippus, "Vi zayla miah genunk broht kawfa so es awl dee leit essa kenna?" 6 Dess hott eah ksawt fa da Philippus ausbroviahra, fa eah hott shund gvist vass eah du zayld. 7 Da Philippus hott ksawt zu eem, "Zvay hunnaht dawlah veaht broht veah nett genunk

Father's name, and ye receive me not: if another shall come in his own name, him ye will receive. **44** How can ye believe, which receive honour one of another, and seek not the honour that *cometh* from God only? **45** Do not think that I will accuse you to the Father: there is *one* that accuseth you, *even* Moses, in whom ye trust. **46** For had ye believed Moses, ye would have believed me: for he wrote of me. **47** But if ye believe not his writings, how shall ye believe my words?

6:1 After these things Jesus went over the sea of Galilee, which is *the sea* of Tiberias. **2** And a great multitude followed him, because they saw his miracles which he did on them that were diseased. **3** And Jesus went up into a mountain, and there he sat with his disciples. **4** And the passover, a feast of the Jews, was nigh. **5** When Jesus then lifted up *his* eyes, and saw a great company come unto him, he saith unto Philip, Whence shall we buy bread, that these may eat? **6** And this he said to prove him: for he himself knew what he would do. **7** Philip answered him, Two hundred pennyworth of bread is not sufficient for them, that every one

6:2 Notice why the multitudes were following Jesus? Sadly, most of these same people would leave Jesus in verse 6 of this same chapter. Why? They were looking for outward signs rather than simply placing their faith in the words of Jesus Christ. JK

6:6 Jesus tests our faith too. It makes our faith stronger. JZ

— 45 —

daß ein jeglicher unter ihnen ein wenig nehme. 8 Spricht zu ihm einer seiner Jünger, Andreas, der Bruder des Simon Petrus: 9 Es ist ein Knabe hier, der hat fünf Gerstenbrote und zwei Fische; aber was ist das unter so viele? 10 Jesus aber sprach: Schaffet, daß sich das Volk lagere! Es war aber viel Gras an dem Ort. Da lagerten sich bei fünftausend Mann. 11 Jesus aber nahm die Brote, dankete und gab sie den Jüngern, die Jünger aber denen, die sich gelagert hatten; desselbigengleichen auch von den Fischen, wieviel er wollte. 12 Da sie aber satt waren, sprach er zu seinen Jüngern: Sammelt die übrigen Brocken, daß nichts umkomme! 13 Da sammelten sie und fülleten zwölf Körbe mit Brocken von den fünf Gerstenbroten, die überblieben denen, die gespeiset worden. 14 Da nun die Menschen das Zeichen sahen, das Jesus tat, sprachen sie: Das ist wahrlich der Prophet, der in die Welt kommen soll! 15 Da Jesus nun merkete, daß sie kommen würden und ihn haschen, daß sie ihn zum Könige machten, entwich er abermal auf den Berg, er selbst alleine. 16 Am Abend aber gingen die Jünger hinab an das Meer 17 und traten in das Schiff und kamen über das Meer gen Kapernaum. Und es war schon finster worden, und Jesus war nicht zu ihnen kommen.

es alli-ebbah bissel greeya dayt." 8 Ayns funn di yingah, da Andreas, em Simon Petrus sei broodah, hott ksawt zu eem, 9 "Es is en boo do es fimf layb geahsht-broht un zvay fish hott, avvah vass is sell unnich so feel leit?" 10 Jesus hott ksawt, "Machet di leit sich anna hokka." Es voah feel graws an sellem blatz, un di mennah henn sich anna kokt. Es voahra so an di fimf dausend rumm. 11 Jesus hott no di layb broht gnumma, hott dank gevva un hott si ausgedayld zu di yingah, un di yingah zu selli vo am hokka voahra. So hott eah aw gedu mitt di fish, so feel es si henn vella. 12 Vo alli-ebbah sich satt gessa katt hott, hott eah sei yingah ksawt, "Geddahret di shtikkah zammah es ivvahrich sinn so es nix faloahra gayt." 13 So henn si di shtikkah zammah gegeddaht, un's voahra zvelf keahb-foll ivvahrich funn di fimf layb geahsht-broht noch demm es di leit faddich voahra essa. 14 Vo di leit da zaycha ksenna henn vass eah gedu katt hott, henn si ksawt, "Dess is voahhaftich da brofayt vo in di veld kumma soll!" 15 Vo Jesus fameikt hott es si kumma zayla un hand ohlayya an eem fa een kaynich macha, hott eah datt falossa un is viddah laynich nuff uf da hivvel ganga. 16 Vo da ohvet kumma is, sinn sei yingah nunnah an da say ganga, 17 sinn in en boat nei un sinn ivvah da say nivvah kshteaht geyyich Kapernaum. Es voah nau dunkel un Jesus voah alsnoch nett runnah zu eena kumma.

of them may take a little. **8** One of his disciples, Andrew, Simon Peter's brother, saith unto him, **9** There is a lad here, which hath five barley loaves, and two small fishes: but what are they among so many?

10 And Jesus said, Make the men sit down. Now there was much grass in the place. So the men sat down, in number about five thousand.

11 And Jesus took the loaves; and when he had given thanks, he distributed to the disciples, and the disciples to them that were set down; and likewise of the fishes as much as they would. **12** When they were filled, he said unto his disciples, Gather up the fragments that remain, that nothing be lost.

13 Therefore they gathered *them* together, and filled twelve baskets with the fragments of the five barley loaves, which remained over and above unto them that had eaten.

14 Then those men, when they had seen the miracle that Jesus did, said, This is of a truth that prophet that should come into the world. **15** When Jesus therefore perceived that they would come and take him by force, to make him a king, he departed again into a mountain himself alone. **16** And when even was *now* come, his disciples went down unto the sea, **17** And entered into a ship, and went over the sea toward Capernaum. And it was now dark, and Jesus was not come to them.

6:13 This would have been amazing to see. EM

18 Und das Meer erhub sich von einem großen Winde. 19 Da sie nun gerudert hatten bei fünfundzwanzig oder dreißig Feld Wegs, sahen sie Jesum auf dem Meer dahergehen und nahe zum Schiff kommen; und sie fürchteten sich. 20 Er aber sprach zu ihnen: Ich bin's; fürchtet euch nicht! 21 Da wollten sie ihn in das Schiff nehmen; und alsbald war das Schiff am Lande, da sie hinfuhren. 22 Des andern Tages sah das Volk, das diesseits des Meeres stund, daß kein ander Schiff daselbst war denn das einige, darein seine Jünger getreten waren, und daß Jesus nicht mit seinen Jüngern in das Schiff getreten war, sondern allein seine Jünger waren weggefahren. 23 Es kamen aber andere Schiffe von Tiberias nahe zu der Stätte, da sie das Brot gegessen hatten durch des HERRN Danksagung. 24 Da nun das Volk sah, daß Jesus nicht da war noch seine Jünger, traten sie auch in die Schiffe und kamen gen Kapernaum und suchten Jesum. 25 Und da sie ihn fanden jenseit des Meeres, sprachen sie zu ihm: Rabbi, wann bist du herkommen? 26 Jesus antwortete ihnen und sprach: Wahrlich, wahrlich, ich sage euch, ihr suchet mich nicht darum, daß ihr Zeichen gesehen habt, sondern daß ihr von dem Brot gegessen habt und seid satt worden. 27 Wirket Speise, nicht die vergänglich ist, sondern die da bleibet in das ewige Leben,

18 En shteikah vind hott kshteaht blohsa un di vella uf em say sinn hohch vadda. 19 Vo si drei adda fiah meil ganga voahra henn si Jesus ksenna lawfa uf em say un am nayksht an's boat kumma. Si henn sich kfeicht. 20 Avvah eah hott ksawt zu eena, "Feichet eich nett, es is mich." 21 No voahra si froh fa een in's boat nemma, un grawt voah's boat am land vo si hee gay henn vella. 22 Da neksht dawk henn di leit vo uf di annah seit fumm say geblivva sinn, fameikt es yusht ay boat datt gvest voah, un es Jesus nett in's boat ganga voah mitt di yingah, avvah si sinn ganga unni een. 23 Es sinn avvah samm boats funn Tiberias nayksht an da blatz kumma vo di leit broht gessa katt henn noch demm es da Hah dank gevva katt hott. 24 No vo di leit ksenna henn es Jesus nett datt voah, un aw nett sei yingah, sinn si selvaht in di boats nei un sinn noch Kapernaum ganga am sucha fa Jesus. 25 Vo si een kfunna henn uf di annah seit fumm say henn si een kfrohkt, "Meishtah, vann bisht du do heah kumma?" 26 Jesus hott ksawt zu eena, "Voahlich, voahlich, ich sawk eich, diah suchet mich nett veil diah di zaycha ksenna hend, avvah veil diah eich satt gessa hend mitt sellem broht. 27 Doond nett shaffa fa ess-sach es fadaubt, avvah fa ess-sach es sich hald zumm ayvich layva es da

18 And the sea arose by reason of a great wind that blew. **19** So when they had rowed about five and twenty or thirty furlongs, they see Jesus walking on the sea, and drawing nigh unto the ship: and they were afraid. **20** But he saith unto them, It is I; be not afraid. **21** Then they willingly received him into the ship: and immediately the ship was at the land whither they went. **22** The day following, when the people which stood on the other side of the sea saw that there was none other boat there, save that one whereinto his disciples were entered, and that Jesus went not with his disciples into the boat, but *that* his disciples were gone away alone; **23** (Howbeit there came other boats from Tiberias nigh unto the place where they did eat bread, after that the Lord had given thanks:) **24** When the people therefore saw that Jesus was not there, neither his disciples, they also took shipping, and came to Capernaum, seeking for Jesus. **25** And when they had found him on the other side of the sea, they said unto him, Rabbi, when camest thou hither? **26** Jesus answered them and said, Verily, verily, I say unto you, Ye seek me, not because ye saw the miracles, but because ye did eat of the loaves, and were filled. **27** Labour not for the meat which perisheth, but for that meat which endureth unto

6:21 I wish I could travel great distances that fast. EM

6:26 We seek earthly things because they seem more real than heavenly things. We need to change our focus. JZ

6:27-29 Doing the work of God unto eternal life is not work at all but rather belief in Christ. EM

welche euch des Menschen Sohn geben wird; denn denselbigen hat Gott der Vater versiegelt. 28 Da sprachen sie zu ihm: Was sollen wir tun, daß wir Gottes Werke wirken? 29 Jesus antwortete und sprach zu ihnen: Das ist Gottes Werk, daß ihr an den glaubet, den er gesandt hat. 30 Da sprachen sie zu ihm: Was tust du für ein Zeichen, auf daß wir sehen und glauben dir? Was wirkest du? 31 Unsere Väter haben Manna gegessen in der Wüste, wie geschrieben stehet: Er gab ihnen Brot vom Himmel zu essen. 32 Da sprach Jesus zu ihnen: Wahrlich, wahrlich, ich sage euch: Mose hat euch nicht Brot vom Himmel gegeben, sondern mein Vater gibt euch das rechte Brot vom Himmel. 33 Denn dies ist das Brot Gottes, das vom Himmel kommt und gibt der Welt das Leben. 34 Da sprachen sie zu ihm: HERR, gib uns allewege solch Brot! 35 Jesus aber sprach zu ihnen: Ich bin das Brot des Lebens. Wer zu mir kommt, den wird nicht hungern; und wer an mich glaubet, den wird nimmermehr dürsten. 36 Aber ich hab's euch gesagt, daß ihr mich gesehen habt und glaubet doch nicht. 37 Alles, was mir mein Vater gibt, das kommt zu mir; und wer zu mir kommt, den werde ich nicht hinausstoßen. 38 Denn ich bin vom Himmel kommen, nicht daß

Mensha Sohn eich gevva zayld. Gott da Faddah hott zeiknis gevva es eah zufridda is mitt eem." 28 No henn si een kfrohkt, "Vass missa miah du fa di verka funn Gott du?" 29 Jesus hott eena ksawt, "Di eahvet funn Gott is dess: es diah glawvet an deah vo eah kshikt hott." 30 No henn si ksawt zu eem, "Vass fa en zaycha dusht du so es miah sayna kenna un diah glawva? Vass kansht du uns veisa? 31 Unsah foahfeddah henn manna gessa in di vildahnis. Es is kshrivva, 'Eah hott eena broht fumm Himmel gevva fa essa.'" 32 Jesus hott no ksawt zu eena, "Voahlich, ich sawk eich, es voah nett da Mosi vo eich broht gevva hott fumm Himmel, avvah mei Faddah gebt eich's recht broht fumm Himmel. 33 Dess broht funn Gott is een vo runnah kumd fumm Himmel un gebt layva zu di veld." 34 No henn si ksawt zu eem, "Hah, funn nau on gebb uns sell broht." 35 Jesus hott ksawt zu eena, "Ich binn's levendich broht; deah vo zu miah kumd vatt nee nimmi hungahrich, un deah vo an mich glawbt vatt nee nimmi dashtich. 36 Avvah vi ich eich ksawt habb, diah hend mich ksenna avvah diah doond alsnoch nett glawva. 37 Awl dee es da Faddah miah gebt kumma zu miah, un deah vo zu miah kumd shtohs ich nett naus. 38 Ich binn nett runnah kumma fumm Himmel fa mei

everlasting life, which the Son of man shall give unto you: for him hath God the Father sealed. **28** Then said they unto him, What shall we do, that we might work the works of God? **29** Jesus answered and said unto them, This is the work of God, that ye believe on him whom he hath sent. **30** They said therefore unto him, What sign shewest thou then, that we may see, and believe thee? what dost thou work? **31** Our fathers did eat manna in the desert; as it is written, He gave them bread from heaven to eat. **32** Then Jesus said unto them, Verily, verily, I say unto you, Moses gave you not that bread from heaven; but my Father giveth you the true bread from heaven. **33** For the bread of God is he which cometh down from heaven, and giveth life unto the world. **34** Then said they unto him, Lord, evermore give us this bread. **35** And Jesus said unto them, I am the bread of life: he that cometh to me shall never hunger; and he that believeth on me shall never thirst. **36** But I said unto you, That ye also have seen me, and believe not. **37** All that the Father giveth me shall come to me; and him that cometh to me I will in no wise cast out. **38** For I came down from heaven, not to do

6:30 Jesus showed the multitudes many signs in the form of miracles and look! They continued asking for more signs. What are you looking for to place your trust in; signs or simple faith in the Words of Jesus Christ? JK

6:34-35 I need Jesus, nothing else. He is the real bread, the only thing that can really fill us. JZ

6:37 We're safe in the arms of Jesus. JZ

ich meinen Willen tue, sondern des, der mich gesandt hat. 39 Das ist aber der Wille des Vaters, der mich gesandt hat, daß ich nichts verliere von allem, was er mir gegeben hat, sondern daß ich's auferwecke am Jüngsten Tage. 40 Das ist aber der Wille des, der mich gesandt hat, daß, wer den Sohn siehet und glaubet an ihn, habe das ewige Leben; und ich werde ihn auferwecken am Jüngsten Tage. 41 Da murreten die Juden darüber, daß er sagte: Ich bin das Brot, das vom Himmel kommen ist, 42 und sprachen: Ist dieser nicht Jesus, Josephs Sohn, des Vater und Mutter wir kennen? Wie spricht er denn: Ich bin vom Himmel kommen? 43 Jesus antwortete und sprach zu ihnen: Murret nicht untereinander! 44 Es kann niemand zu mir kommen, es sei denn, daß ihn ziehe der Vater, der mich gesandt hat; und ich werde ihn auferwecken am Jüngsten Tage. 45 Es stehet geschrieben in den Propheten: Sie werden alle von Gott gelehret sein. Wer es nun höret vom Vater und lernet es, der kommt zu mir. 46 Nicht daß jemand den Vater habe gesehen, außer dem, der vom Vater ist, der hat den Vater gesehen. 47 Wahrlich, wahrlich, ich sage euch: Wer an mich glaubet, der hat das ewige Leben. 48 Ich bin das Brot des Lebens. 49 Eure Väter haben Manna gegessen in der Wüste und sind gestorben.

ayknah villa du, avvah da villa funn sellem vo mich kshikt hott. 39 Un dess is da villa funn demm vo mich kshikt hott, es ich kenni faliahra soll es eah miah gevva hott, avvah es ich si uf vekk am letshta dawk. 40 Meim Faddah sei villa is dess: es alli-ebbah vo da Sohn saynd, un an een glawbt, ayvich layva havva soll, un ich zayl een ufvekka am letshta dawk." 41 No henn di Yudda gegrummeld veyyich eem veil eah ksawt hott, "Ich binn sell broht vo runnah kumma is fumm Himmel." 42 Si henn ksawt, "Is dess nett Jesus, em Joseph sei boo? Sei faddah un sei muddah kenna miah. Favass sawkt eah nau, 'Ich binn runnah kumma fumm Himmel'?" 43 Jesus hott eena ksawt, "Doond nett grumla unnich nannah. 44 Nimmand kann zu miah kumma, unni es da Faddah vo mich kshikt hott een zeekt, un ich zayl een ufvekka am letshta dawk. 45 Es is kshrivva in di brofayda, 'Un si sella awl gland vadda funn Gott.' Alli-ebbah es keaht hott un es gland hott fumm Faddah, kumd zu miah. 46 Nett es ennich ebbah da Faddah ksenna hott, unni yusht deah vo funn Gott is, eah hott da Faddah ksenna. 47 Voahlich, voahlich, ich sawk eich, deah vo glawbt an mich hott ayvich layva. 48 Ich binn dess layves broht. 49 Eiyah foah-feddah henn manna gessa in di vildahnis un si sinn kshtauva.

mine own will, but the will of him that sent me. **39** And this is the Father's will which hath sent me, that of all which he hath given me I should lose nothing, but should raise it up again at the last day. **40** And this is the will of him that sent me, that every one which seeth the Son, and believeth on him, may have everlasting life: and I will raise him up at the last day. **41** The Jews then murmured at him, because he said, I am the bread which came down from heaven. **42** And they said, Is not this Jesus, the son of Joseph, whose father and mother we know? how is it then that he saith, I came down from heaven? **43** Jesus therefore answered and said unto them, Murmur not among yourselves. **44** No man can come to me, except the Father which hath sent me draw him: and I will raise him up at the last day. **45** It is written in the prophets, And they shall be all taught of God. Every man therefore that hath heard, and hath learned of the Father, cometh unto me. **46** Not that any man hath seen the Father, save he which is of God, he hath seen the Father. **47** Verily, verily, I say unto you, He that believeth on me hath everlasting life. **48** I am that bread of life. **49** Your fathers did eat manna in the wilderness, and are dead.

6:40 Those who believe (fully trust) in Jesus Christ "have" everlasting life and will be raised up from the dead. Ninety percent Jesus and ten percent me is not fully trusting in Jesus. JK

6:41 They didn't like it. JZ

6:44 Salvation is the work of God alone and not of men. You will never earn this. EM

6:47 You want everlasting life? Right now? Stop believing in Jesus "plus" a bunch of other things. The church can't give you everlasting life! Neither can the preacher, nor our good works. Jesus said. "He that believeth on me hath everlasting life." JK

50 Dies ist das Brot, das vom Himmel kommt, auf daß, wer davon isset, nicht sterbe. 51 Ich bin das lebendige Brot, vom Himmel kommen. Wer von diesem Brot essen wird, der wird leben in Ewigkeit. Und das Brot, das ich geben werde, ist mein Fleisch, welches ich geben werde für das Leben der Welt. 52 Da zanketen die Juden untereinander und sprachen: Wie kann dieser uns sein Fleisch zu essen geben? 53 Jesus sprach zu ihnen: Wahrlich, wahrlich, ich sage euch: Werdet ihr nicht essen das Fleisch des Menschensohnes und trinken sein Blut, so habt ihr kein Leben in euch. 54 Wer mein Fleisch isset und trinket mein Blut, der hat das ewige Leben, und ich werde ihn am Jüngsten Tage auferwecken. 55 Denn mein Fleisch ist die rechte Speise, und mein Blut ist der rechte Trank. 56 Wer mein Fleisch isset und trinket mein Blut, der bleibt in mir und ich in ihm. 57 Wie mich gesandt hat der lebendige Vater, und ich lebe um des Vaters willen, also, wer mich isset, derselbige wird auch leben um meinetwillen. 58 Dies ist das Brot, das vom Himmel kommen ist, nicht wie eure Väter haben Manna gegessen und sind gestorben. Wer dies Brot isset, der wird leben in Ewigkeit. 59 Solches sagte er in der Schule, da er lehrete zu Kapernaum. 60 Viele nun seiner Jünger, die das höreten, sprachen: Das ist eine

50 Dess is es broht vo runnah kumma is fumm Himmel, un en mann kann essa funn demm un nett shtauva. 51 Ich binn's levendich broht vo runnah kumma is fumm Himmel. Vann ennich ebbah est funn demm broht, zayld eah immah layva, un dess broht vo ich gevva zayl fa's layva funn di veld is mei flaysh." 52 No henn di Yudda ohkfanga eiyahra unnich nannah, un henn ksawt, "Vi kann deah mann uns sei flaysh gevva fa essa?" 53 Jesus hott ksawt zu eena, "Voahlich, voahlich, ich sawk eich, vann diah dess flaysh nett esset un's bloot drinket fumm Mensha Sohn, dann hend diah kenn layva in eich. 54 Deah vo mei flaysh est un mei bloot drinkt hott's ayvich layva, un ich vekk een uf am letshta dawk. 55 Mei flaysh is es recht ess-sach un mei bloot is es recht drinkes. 56 Deah vo mei flaysh est un mei bloot drinkt bleibt in miah un ich in eem. 57 Vi da levendich Faddah mich kshikt hott un ich layb deich een, so aw, deah vo est funn miah zayld layva deich mich. 58 Dess is sell broht vo runnah kumma is fumm Himmel, nett sell vo di foah-feddah gessa henn un sinn kshtauva, avvah deah vo dess broht est zayld immah layva." 59 Dess hott eah ksawt vi eah si gland hott im Yudda gmay-haus in Kapernaum. 60 Vo si dess keaht henn, henn feel funn sei yingah ksawt, "Dess sinn haddi

50 This is the bread which cometh down from heaven, that a man may eat thereof, and not die. **51** I am the living bread which came down from heaven: if any man eat of this bread, he shall live for ever: and the bread that I will give is my flesh, which I will give for the life of the world. **52** The Jews therefore strove among themselves, saying, How can this man give us *his* flesh to eat? **53** Then Jesus said unto them, Verily, verily, I say unto you, Except ye eat the flesh of the Son of man, and drink his blood, ye have no life in you. **54** Whoso eateth my flesh, and drinketh my blood, hath eternal life; and I will raise him up at the last day. **55** For my flesh is meat indeed, and my blood is drink indeed. **56** He that eateth my flesh, and drinketh my blood, dwelleth in me, and I in him. **57** As the living Father hath sent me, and I live by the Father: so he that eateth me, even he shall live by me. **58** This is that bread which came down from heaven: not as your fathers did eat manna, and are dead: he that eateth of this bread shall live for ever. **59** These things said he in the synagogue, as he taught in Capernaum. **60** Many therefore of his disciples, when they had heard *this*, said, This

6:51 Jesus said it again. He must really mean it. JZ

6:55 We become what we eat, whether earthly or spiritual. JZ

harte Rede, wer kann sie hören? 61 Da Jesus aber bei sich selbst merkete, daß seine Jünger darüber murreten, sprach er zu ihnen: Ärgert euch das? 62 Wie, wenn ihr denn sehen werdet des Menschen Sohn auffahren dahin; da er zuvor war? 63 Der Geist ist's, der da lebendig macht; das Fleisch ist kein nütze. Die Worte, die ich rede, die sind Geist und sind Leben. 64 Aber es sind etliche unter euch, die glauben nicht. Denn Jesus wußte von Anfang wohl, welche nicht glaubend waren, und welcher ihn verraten würde. 65 Und er sprach: Darum habe ich euch gesagt: Niemand kann zu mir kommen, es sei ihm denn von meinem Vater gegeben. 66 Von dem an gingen seiner Jünger viel hinter sich und wandelten hinfort nicht mehr mit ihm. 67 Da sprach Jesus zu den Zwölfen: Wollt ihr auch weggehen? 68 Da antwortete ihm Simon Petrus: HERR, wohin sollen wir gehen? Du hast Worte des ewigen Lebens; 69 und wir haben geglaubet und erkannt, daß du bist Christus, der Sohn des lebendigen Gottes. 70 Jesus antwortete ihm: Hab' ich nicht euch Zwölfe erwählet? und euer einer ist ein Teufel. 71 Er redete aber von dem Judas, Simons Sohn, Ischariot; derselbige verriet ihn hernach und war der Zwölfen einer.

vadda, veah kann si heahra?" 61 Jesus hott in sich selvaht gvist es sei yingah am grumla voahra veyyich demm. No hott eah si kfrohkt, "Sinn diah grikt ivvah dess? 62 Vass vann diah da Mensha Sohn sayna daydet zrikk nuff gay vo eah voah difoah? 63 Es is da Geisht vo layva gebt; dess flaysh zayld fa nix. Di vadda vo ich ksawt habb zu eich sinn geisht un layva. 64 Avvah's sinn samm funn eich vo nett glawva doon." Jesus hott grawt fumm ohfang gvist veah selli sinn vo nett geglawbt henn, un veah dess is vo een farohda zayld. 65 Un eah hott ksawt, "Fasell hav-vich eich ksawt es nimmand zu miah kumma kann unni es es eem gevva is fumm Faddah." 66 Noch demm sinn feel funn sei yingah zrikk gedrayt, un sinn nimmi mitt eem ganga. 67 Jesus hott no ksawt zu di zvelfa, "Vellet diah aw vekk gay?" 68 Da Simon Petrus hott eem andvat gevva, "Hah, zu vemm kenna miah gay? Du hosht di vadda fumm ayvicha layva. 69 Un miah henn geglawbt un vissa es du Christus bisht, da Sohn fumm levendicha Gott." 70 Jesus hott eena no ksawt, "Habb ich nett eich zvelfa raus groofa? Avvah ayns funn eich is en deivel." 71 Eah hott kshvetzt veyyich em Judas, em Simon Ischariot sei boo. Eah voah sellah funn di zvelfa vo shpaydah Jesus farohda hott.

is an hard saying; who can hear it? **61** When Jesus knew in himself that his disciples murmured at it, he said unto them, Doth this offend you? **62** *What* and if ye shall see the Son of man ascend up where he was before? **63** It is the spirit that quickeneth; the flesh profiteth nothing: the words that I speak unto you, *they* are spirit, and *they* are life. **64** But there are some of you that believe not. For Jesus knew from the beginning who they were that believed not, and who should betray him. **65** And he said, Therefore said I unto you, that no man can come unto me, except it were given unto him of my Father. **66** From that *time* many of his disciples went back, and walked no more with him. **67** Then said Jesus unto the twelve, Will ye also go away? **68** Then Simon Peter answered him, Lord, to whom shall we go? thou hast the words of eternal life. **69** And we believe and are sure that thou art that Christ, the Son of the living God. **70** Jesus answered them, Have not I chosen you twelve, and one of you is a devil? **71** He spake of Judas Iscariot *the son* of Simon: for he it was that should betray him, being one of the twelve.

6:63 The spirit is more important than our flesh. JZ

6:64 We can fool the preacher, fool our friends, fool our neighbors, and fool our family; however, we will never fool Jesus. He knows if we are true believers. JK

6:65 Jesus said it in verse 44 and He said it again here: It is impossible for a man, woman, or child to come to Jesus unless the Father in heaven makes it happen. This not only reminds me how helpless I am, it reminds me how wonderful God's grace is. Thank you, Father in Heaven, for opening my eyes. JK

6:66 There will be many people who hear the truth but be unwilling to follow it because it is a hard saying and they do not like what they hear. What will you do? EM

6:68-69 Ten thousand religions in the world today can be divided into two groups: Either you stand with Peter and believe that "Jesus is the Christ, the Son of the Living God," or you are following a man-made religion that leads to everlasting death. Be careful you are not one of those who

7:1 Danach zog Jesus umher in Galiläa denn er wollte nicht in Judäa umherziehen, darum daß ihm die Juden nach dem Leben stelleten. 2 Es war aber nahe der Juden Fest, der Laubrüst. 3 Da sprachen seine Brüder zu ihm: Mache dich auf von dannen und gehe nach Judäa, auf daß auch deine Jünger sehen die Werke, die du tust. 4 Niemand tut etwas im Verborgenen und will doch frei offenbar sein. Tust du solches, so offenbare dich vor der Welt. 5 Denn auch seine Brüder glaubten nicht an ihn. 6 Da spricht Jesus zu ihnen: Meine Zeit ist noch nicht hier; eure Zeit aber ist allewege. 7 Die Welt kann euch nicht hassen; mich aber hasset sie; denn ich zeuge von ihr, daß ihre Werke böse sind. 8 Gehet ihr hinauf auf dieses Fest. Ich will noch nicht hinaufgehen auf dieses Fest; denn meine Zeit ist noch nicht erfüllet. 9 Da er aber das zu ihnen gesagt, blieb er in Galiläa. 10 Als aber seine Brüder waren hinaufgegangen, da ging er auch hinauf zu dem Fest, nicht offenbarlich, sondern gleich heimlich. 11 Da suchten ihn die Juden am Fest und sprachen: Wo ist der? 12 Und es war ein groß Gemurmel von ihm unter dem Volk. Etliche sprachen: Er ist, fromm. Die andern aber sprachen: Nein, sondern er verführet das Volk. 13 Niemand aber redete frei von ihm um der Furcht willen vor

7:1 Noch demm is Jesus rumm ganga in Galilaya. Eah is nimmi rumm ganga in Judayya, veil di Yudda een doht macha henn vella. 2 Nau di zeit voah nayksht fa di Yudda iahra lawb-heisah fesht, 3 un sei breedah henn ksawt zu Jesus, "Du setsht do falossa un noch Judayya gay, so es dei yingah di sacha sayna kenna es du shafsht. 4 Nimmand shaft hinna rumm vann eah havva vill es di leit ausfinna veyyich eem. Vann du dee sacha dusht, veis dich fannich di veld." 5 Even sei breedah henn nett an een geglawbt. 6 Jesus hott eena ksawt, "Mei zeit is noch nett do, avvah fa eich is ennichi zeit recht. 7 Di veld kann eich nett hassa, avvah di veld hast mich veil ich zeiknis gebb es vass see dutt is evil. 8 Gaynd selvaht nuff an's fesht. Ich gay nett nuff veil mei zeit noch nett gans do is." 9 Noch demm es eah sell ksawt hott is eah in Galilaya geblivva. 10 Avvah vo sei breedah moll ganga voahra is eah aw ganga, nett im uffena, avvah es di leit nett gvist henn difunn. 11 Di Yudda voahra am gukka gvest fa een an demm fesht un henn ksawt, "Vo is eah?" 12 Un di leit henn feel gegrummeld unnich nannah veyyich eem. Samm henn ksawt, "Eah is en goodah mann." Avvah anri henn ksawt, "Nay, eah is am di leit fafiahra." 13 Avvah nimmand hott fanna rumm kshvetzt veyyich eem veil si sich kfeicht henn veyyich di

7:1 After these things Jesus walked in Galilee: for he would not walk in Jewry, because the Jews sought to kill him. **2** Now the Jews' feast of tabernacles was at hand. **3** His brethren therefore said unto him, Depart hence, and go into Judaea, that thy disciples also may see the works that thou doest. **4** For *there is* no man *that* doeth any thing in secret, and he himself seeketh to be known openly. If thou do these things, shew thyself to the world. **5** For neither did his brethren believe in him. **6** Then Jesus said unto them, My time is not yet come: but your time is alway ready. **7** The world cannot hate you; but me it hateth, because I testify of it, that the works thereof are evil. **8** Go ye up unto this feast: I go not up yet unto this feast; for my time is not yet full come. **9** When he had said these words unto them, he abode *still* in Galilee. **10** But when his brethren were gone up, then went he also up unto the feast, not openly, but as it were in secret. **11** Then the Jews sought him at the feast, and said, Where is he? **12** And there was much murmuring among the people concerning him: for some said, He is a good man: others said, Nay; but he deceiveth the people. **13** Howbeit no man spake openly

throws a little Jesus into your man-made religion. JK

7:4 Our works of the Lord are supposed to be bold. JZ

7:5 Did you know that James and Jude, who wrote parts of the Bible, were both half brothers of Jesus? At this point in Jesus life, even they did not believe that their older brother Jesus, who had grown up in the same family, was who He claimed to be. JK

7:12 What do you think? EM

den Juden. 14 Aber mitten im Fest ging Jesus hinauf in den Tempel und lehrete. 15 Und die Juden verwunderten sich und sprachen: Wie kann dieser die Schrift, so er sie doch nicht gelernet hat? 16 Jesus antwortete ihnen und sprach: Meine Lehre ist nicht mein, sondern des, der mich gesandt hat. 17 So jemand will des Willen tun, der wird innewerden, ob diese Lehre von Gott sei, oder ob ich von mir selbst rede. 18 Wer von ihm selbst redet, der sucht seine eigene Ehre; wer aber suchet die Ehre des, der ihn gesandt hat, der ist wahrhaftig, und ist keine Ungerechtigkeit an ihm. 19 Hat euch nicht Mose das Gesetz gegeben? Und niemand unter euch tut das Gesetz. Warum suchet ihr mich zu töten? 20 Das Volk antwortete und sprach: Du hast den Teufel; wer suchet dich zu töten? 21 Jesus antwortete und sprach: Ein einiges Werk habe ich getan, und es wundert euch alle. 22 Mose hat euch darum gegeben die Beschneidung, nicht daß sie von Mose kommt, sondern von den Vätern; noch beschneidet ihr den Menschen am Sabbat. 23 So ein Mensch die Beschneidung annimmt am Sabbat, auf daß nicht das Gesetz Mose's gebrochen werde, zürnet ihr denn über mich, daß ich den ganzen Menschen habe am Sabbat gesund gemacht?

Yudda. 14 Vo's fesht moll halvah ivvah voah, is Jesus nuff in da tempel ganga un hott di leit gland. 15 Di Yudda henn sich fashtaund un henn ksawt, "Vi kann's sei es eah so di Shrift vayst vann eah nee nett ganga voah lanna?" 16 Jesus hott eena ksawt, "Vass ich eich lann is nett mei, avvah demm vo mich kshikt hott. 17 Vann ennich ebbah Gott sei villa du vill, dann find eah aus eb's funn Gott is vass ich eich lann, adda eb's is funn miah selvaht. 18 Deah vo shvetzt in sei aykni macht, deah sucht di eah fa sich selvaht. Avvah deah vo di eah gebt zu demm vo een kshikt hott, is funn di voahheit, un's is kenn ungerechtichkeit in eem. 19 Hott nett da Mosi eich's Ksetz gevva? Avvah kens funn eich hald's Ksetz. Favass sind diah am gukka fa mich umbringa?" 20 Di leit henn no ksawt, "Du hosht en deivel! Veah is am gukka fa dich umbringa?" 21 Jesus hott ksawt zu eena, "Ich habb ay zaycha gedu, un diah sind awl fashtaund. 22 Da Mosi hott eich di beshneidung gevva, nett es dess kumma is fumm Mosi, avvah funn di foah-eldra, un diah beshneidet en kind uf em Sabbat. 23 Nau vann en mensh beshnidda vadda kann uf em Sabbat so es es Ksetz Mosi nett gebrocha vatt, favass sind diah bays ivvah mich fa en mann sei gans leib hayla uf em Sabbat?

of him for fear of the Jews. **14** Now about the midst of the feast Jesus went up into the temple, and taught. **15** And the Jews marvelled, saying, How knoweth this man letters, having never learned? **16** Jesus answered them, and said, My doctrine is not mine, but his that sent me. **17** If any man will do his will, he shall know of the doctrine, whether it be of God, or *whether* I speak of myself. **18** He that speaketh of himself seeketh his own glory: but he that seeketh his glory that sent him, the same is true, and no unrighteousness is in him. **19** Did not Moses give you the law, and *yet* none of you keepeth the law? Why go ye about to kill me? **20** The people answered and said, Thou hast a devil: who goeth about to kill thee? **21** Jesus answered and said unto them, I have done one work, and ye all marvel. **22** Moses therefore gave unto you circumcision; (not because it is of Moses, but of the fathers;) and ye on the sabbath day circumcise a man. **23** If a man on the sabbath day receive circumcision, that the law of Moses should not be broken; are ye angry at me, because I have made a man every whit whole on the sabbath day?

7:18 We boast in Christ, not in ourselves. JZ

7:23 These men had little understanding, and hard hearts. We need to ask God for new hearts, to properly interpret and understand Scripture. JZ

24 Richtet nicht nach dem Ansehen sondern richtet ein recht Gericht! 25 Da sprachen etliche von Jerusalem: Ist das nicht der, den sie suchten zu töten? 26 Und siehe zu, er redet frei, und sie sagen ihm nichts. Erkennen unsere Obersten nun gewiß, daß er gewiß Christus sei? 27 Doch wir wissen, von wannen dieser ist; wenn aber Christus kommen wird, so wird niemand wissen, von wannen er ist. 28 Da rief Jesus im Tempel, lehrete und sprach: Ja, ihr kennet mich und wisset, von wannen ich bin; und von mir selbst bin ich nicht kommen, sondern es ist ein Wahrhaftiger, der mich gesandt hat, welchen ihr nicht kennet. 29 Ich kenne ihn aber; denn ich bin von ihm, und er hat mich gesandt. 30 Da suchten sie ihn zu greifen. Aber niemand legte die Hand an ihn; denn seine Stunde war noch nicht kommen. 31 Aber viele vom Volk glaubten an ihn und sprachen: Wenn Christus kommen wird; wird er auch mehr Zeichen tun, denn dieser tut? 32 Und es kam vor die Pharisäer, daß das Volk solches von ihm murmelte. Da sandten die Pharisäer und Hohenpriester Knechte aus, daß sie ihn griffen. 33 Da sprach Jesus zu ihnen: Ich bin noch eine kleine Zeit bei euch, und dann gehe ich hin zu dem, der mich gesandt hat. 34 Ihr werdet mich suchen und nicht finden; und da ich bin, könnet ihr nicht

24 Doond nett richta bei vass diah sayna kennet, avvah doond recht richta." 25 Samm funn di leit funn Jerusalem henn no kfrohkt, "Is dess nett da mann es si doht macha vella? 26 Do is eah am grawt fanna rumm shvetza, un si sawwa nix zu eem. Kann's sei es di ivvah-saynah ausgmacht henn es dess is geviss Christus? 27 Doch, miah vissa vo deah mann bei kumd, avvah vann Christus moll kumd, vayst nimmand vo eah bei kumd." 28 Jesus, alsnoch am breddicha im tempel, hott no ksawt, "Diah kennet mich, un diah visset vo ich bei kumm. Avvah ich binn nett do funn miah selvaht. Deah vo mich kshikt hott is di voahheit un diah kennet een nett. 29 Avvah ich kenn een, veil ich kumm funn eem, un eah hott mich kshikt." 30 No henn si vella een fesht nemma, avvah nimmand hott hend uf een glaykt veil sei zeit noch nett kumma voah. 31 Avvah doch, feel leit henn an een geglawbt. Si henn ksawt, "Vann Christus moll kumd, zayld eah may zaycha du es deah mann shund gedu hott?" 32 Di Pharisayah henn keaht es di leit so am shvetza voahra veyyich eem. No henn di hohchen-preeshtah un di Pharisayah iahra gnechta naus kshikt fa een fesht nemma. 33 Jesus hott no ksawt, "Ich zayl noch en glenni zeit do bei eich sei, un no gayn ich zu demm vo mich kshikt hott. 34 Diah zaylet mich sucha un zaylet mich nett finna. Un datt vo ich binn kennet diah nett

24 Judge not according to the appearance, but judge righteous judgment. **25** Then said some of them of Jerusalem, Is not this he, whom they seek to kill? **26** But, lo, he speaketh boldly, and they say nothing unto him. Do the rulers know indeed that this is the very Christ? **27** Howbeit we know this man whence he is: but when Christ cometh, no man knoweth whence he is. **28** Then cried Jesus in the temple as he taught, saying, Ye both know me, and ye know whence I am: and I am not come of myself, but he that sent me is true, whom ye know not. **29** But I know him: for I am from him, and he hath sent me. **30** Then they sought to take him: but no man laid hands on him, because his hour was not yet come. **31** And many of the people believed on him, and said, When Christ cometh, will he do more miracles than these which this *man* hath done? **32** The Pharisees heard that the people murmured such things concerning him; and the Pharisees and the chief priests sent officers to take him. **33** Then said Jesus unto them, Yet a little while am I with you, and *then* I go unto him that sent me. **34** Ye shall seek me, and shall not find *me*: and where I am, *thither*

7:34 These are scary words, for those who reject Jesus today, in this life. JZ

— 63 —

hinkommen. 35 Da sprachen die Juden untereinander: Wo will dieser hingehen, daß wir ihn nicht finden sollen? Will er unter die Griechen gehen, die hin und her zerstreuet liegen, und die Griechen lehren? 36 Was ist das für eine Rede, daß er saget: Ihr werdet mich suchen und nicht finden, und: Wo ich bin, da könnet ihr nicht hinkommen? 37 Aber am letzten Tage des Festes, der am herrlichsten war, trat Jesus auf, rief und sprach: Wen da dürstet, der komme zu mir und trinke! 38 Wer an mich glaubet, wie die Schrift sagt, von des Leibe werden Ströme des lebendigen Wassers fließen. 39 Das sagte er aber von dem Geist, welchen empfangen sollten, die an ihn glaubten; denn der Heilige Geist war noch nicht da, denn Jesus war noch nicht verkläret. 40 Viele nun vom Volk, die diese Rede höreten, sprachen: Dieser ist ein rechter Prophet. 41 Die andern sprachen: Er ist Christus. Etliche aber sprachen: Soll Christus aus Galiläa kommen? 42 Spricht nicht die Schrift, von dem Samen Davids und aus dem Flecken Bethlehem, da David war, solle Christus kommen? 43 Also ward eine Zwietracht unter dem Volk über ihm. 44 Es wollten aber etliche ihn greifen; aber niemand legte die Hand an ihn. 45 Die Knechte kamen zu den Hohenpriestern und Pharisäern. Und sie sprachen zu

hee kumma." 35 Di Yudda henn no ksawt zu nannah, "Vo zayld eah hee gay es miah een nett finna kenna? Zayld eah naus gay mitt di Yudda es unnich di Greeyisha leit voona un di Greeyisha lanna? 36 Vass maynd eah bei sawwa, 'Diah zaylet mich sucha un zaylet mich nett finna,' un, 'Vo ich binn, kennet diah nett hee kumma'?" 37 Uf'm letshta un em grayshta dawk fumm fesht is Jesus ufkshtanna un hott eahnshtlich ksawt, "Vann ennich ebbah dashtich is, loss een zu miah kumma un drinka. 38 Deah vo an mich glawbt, vi di Shrift ksawt hott, 'Aus seim leib zayla revvahra lawfa mitt levendich vassah.'" 39 Nau dess hott eah ksawt veyyich em Geisht, deah es selli greeya henn sella vo an een glawva. Da Heilich Geisht voah no noch nett gevva gvest veil Jesus sei hallichkeit noch nett katt hott. 40 Vo si dee vadda keaht henn, henn feel leit ksawt, "Dess is geviss da brofayt." 41 Anri henn ksawt, "Dess is Christus." Avvah dayl anri henn kfrohkt, "Kumd Christus funn Galilaya? 42 Is es nett kshrivva in di Shrift es Christus kumma soll fumm Dawfit un funn Bethlehem, di shtatt vo da Dawfit gvoond hott?" 43 Un so voahra di leit nett aynich mitt-nannah veyyich eem. 44 Dayl henn vella een fesht nemma, avvah nimmand hott hend uf een glaykt. 45 Di gnechta vo kshikt voahra sinn no zrikk zu di hohchen-preeshtah

ye cannot come. **35** Then said the Jews among themselves, Whither will he go, that we shall not find him? will he go unto the dispersed among the Gentiles, and teach the Gentiles? **36** What *manner of* saying is this that he said, Ye shall seek me, and shall not find *me*: and where I am, *thither* ye cannot come? **37** In the last day, that great *day* of the feast, Jesus stood and cried, saying, If any man thirst, let him come unto me, and drink. **38** He that believeth on me, as the scripture hath said, out of his belly shall flow rivers of living water. **39** (But this spake he of the Spirit, which they that believe on him should receive: for the Holy Ghost was not yet *given*; because that Jesus was not yet glorified.) **40** Many of the people therefore, when they heard this saying, said, Of a truth this is the Prophet. **41** Others said, This is the Christ. But some said, Shall Christ come out of Galilee? **42** Hath not the scripture said, That Christ cometh of the seed of David, and out of the town of Bethlehem, where David was? **43** So there was a division among the people because of him. **44** And some of them would have taken him; but no man laid hands on him. **45** Then came the officers to the chief priests and

7:39 Have you received the Holy Spirit yet? When? JK

7:43 No one person has ever lived on earth and brought so much division as Jesus did. It's been 2,000 years and people are still at war over Jesus' words and who He said He was. Marriages and families are divided over Him and so are tens of thousands of religions. Why is it so hard for people to just simply believe? JK

ihnen: Warum habt ihr ihn nicht gebracht? 46 Die Knechte antworteten: Es hat nie kein Mensch also geredet wie dieser Mensch. 47 Da antworteten ihnen die Pharisäer: Seid ihr auch verführet? 48 Glaubet auch irgendein Oberster oder Pharisäer an ihn? 49 Sondern das Volk, das nichts vom Gesetz weiß, ist verflucht. 50 Spricht zu ihnen Nikodemus, der bei der Nacht zu ihm kam, welcher einer unter ihnen war: 51 Richtet unser Gesetz auch einen Menschen, ehe man ihn verhöret und erkennet, was er tut? 52 Sie antworteten und sprachen zu ihm: Bist du auch ein Galiläer? Forsche und siehe, aus Galiläa stehet kein Prophet auf. 53 Und ein jeglicher ging also heim.

8:1 Jesus aber ging an den Ölberg. 2 Und frühmorgens kam er wieder in den Tempel, und alles Volk kam zu ihm. Und er setzte sich und lehrete sie. 3 Aber die Schriftgelehrten und Pharisäer brachten ein Weib zu ihm, im Ehebruch begriffen, und stelleten sie in die Mitte 4 und sprachen zu ihm: Meister, dies Weib ist begriffen auf frischer Tat im Ehebruch. 5 Mose aber hat uns im Gesetz geboten, solche zu steinigen; was sagst du? 6 Das sprachen sie aber, ihn zu versuchen, auf daß sie eine Sache wider ihn hätten. Aber

un di Pharisayah kumma. Si henn di gnechta kfrohkt, "Favass hend diah een nett gebrocht?" 46 Di gnechta henn ksawt, "Nimmand hott selayva kshvetzt vi deah mann." 47 No henn di Pharisayah ksawt zu eena, "Sind diah aw fafiaht vadda? 48 Henn ennichs funn di ivvahsaynah adda funn di Pharisayah an een geglawbt? 49 Awl dee leit vo's Ksetz nett vissa sinn unnich en fluch." 50 Da Nicodemus, vo difoah zu Jesus ganga voah, un vo ayns funn di Pharisayah voah, hott ksawt zu eena, 51 "Dutt unsah Ksetz en mann fadamma unni eem seahsht abheicha un ausfinna vass eah dutt?" 52 No henn si ksawt, "Bisht du aw funn Galilaya? Such moll, un du finsht aus es kenn brofayt funn Galilaya kumma zayld." 53 Alli-ebbah is no haym ganga.

8:1 Avvah Jesus is naus an da Ayl-Berg ganga. 2 Un free da neksht meiya is eah viddah in da tempel kumma, un awl di leit sinn zu eem kumma. No hott eah sich anna kokt un hott si gland. 3 Un di shriftgeleahrah un di Pharisayah henn en veibsmensh rei gebrocht es si kfanga henn im aybruch. Si henn dess veibsmensh gmacht fanna anna shtay, 4 un henn ksawt zu Jesus, "Meishtah, dess veibsmensh voah kfanga im aybruch. 5 Nau da Mosi sawkt im Ksetz es sohwichi sedda kshtay nicht sei. Vass sawksht du?" 6 Si henn dess ksawt fa en fall shtella fa een fanga, so es

Pharisees; and they said unto them, Why have ye not brought him? **46** The officers answered, Never man spake like this man. **47** Then answered them the Pharisees, Are ye also deceived? **48** Have any of the rulers or of the Pharisees believed on him? **49** But this people who knoweth not the law are cursed. **50** Nicodemus saith unto them, (he that came to Jesus by night, being one of them,) **51** Doth our law judge *any* man, before it hear him, and know what he doeth? **52** They answered and said unto him, Art thou also of Galilee? Search, and look: for out of Galilee ariseth no prophet. **53** And every man went unto his own house.

8:1 Jesus went unto the mount of Olives. **2** And early in the morning he came again into the temple, and all the people came unto him; and he sat down, and taught them. **3** And the scribes and Pharisees brought unto him a woman taken in adultery; and when they had set her in the midst, **4** They say unto him, Master, this woman was taken in adultery, in the very act. **5** Now Moses in the law commanded us, that such should be stoned: but what sayest thou? **6** This they said, tempting him, that they might have to accuse him. But

7:50 Remember this guy? You can read about him again in Chapter 3. EM

7:51 Seems to me we're too quick to judge others, especially if they hurt our feelings. JZ

8:1 Jesus spent a lot of time at the Mount of Olives. It is the place Jesus wept over Jerusalem, where He was betrayed and rejected! It is the place where He was last seen before going to heaven (Acts 1:11); it is also the place where Jesus will one day return to (Zechariah 14:4). JK

Jesus bückete sich nieder und schrieb mit dem Finger auf die Erde. 7 Als sie nun anhielten, ihn zu fragen, richtete er sich auf und sprach zu ihnen: Wer unter euch ohne Sünde ist, der werfe den ersten Stein auf sie. 8 Und bückete sich wieder nieder und schrieb auf die Erde. 9 Da sie aber das höreten, gingen sie hinaus, von ihrem Gewissen überzeugt, einer nach dem andern, von den Ältesten an bis zu den Geringsten. Und Jesus ward gelassen allein und das Weib in der Mitte stehend. 10 Jesus aber richtete sich auf; und da er niemand sah denn das Weib, sprach er zu ihr: Weib, wo sind sie, deine Verkläger? Hat dich niemand verdammt? 11 Sie aber sprach: HERR, niemand. Jesus aber sprach: So verdamme ich dich auch nicht; gehe hin und sündige hinfort nicht mehr! 12 Da redete Jesus abermal zu ihnen und sprach: Ich bin das Licht der Welt; wer mir nachfolget, der wird nicht wandeln in Finsternis, sondern wird das Licht des Lebens haben. 13 Da sprachen die Pharisäer zu ihm: Du zeugest von dir selbst; dein Zeugnis ist nicht wahr. 14 Jesus antwortete und sprach zu ihnen: So ich von mir selbst zeugen würde, so ist mein Zeugnis wahr; denn ich weiß, von wannen ich kommen bin und wo ich hingehe; ihr aber wisset nicht, von wannen ich komme und wo ich hingehe.

si een pshuldicha kenda. Avvah Jesus hott yusht nunnah gebikt un ohkfanga uf da bodda shreiva mitt sei fingah. 7 Vo si ohkalda henn een frohwa, hott eah sich ufkshteld, un hott ksawt zu eena, "Deah vo unni sinda is unnich eich, loss een da eahsht shtay shmeisa noch iahra." 8 No hott eah sich viddah nunnah gebikt un hott uf da bodda kshrivva. 9 Vo si dess keaht henn, un voahra gedroffa im hatz, sinn si ohkfanga naus gay ayns noch em anra, funn di eldshta on nunnah biss si awl draus voahra es vi Jesus un's veibsmensh vo datt kshtanna hott. 10 Jesus hott sich viddah uf kshteld un hott see kfrohkt, "Veibsmensh, vo sinn dee es dich pshuldicha? Haybt nimmand ebbes geyyich dich fa dich fadamma?" 11 See hott ksawt, "Nimmand, Hah." Jesus hott ksawt, "Ich du dich aw nett fadamma. Nau gay un du nimmi sindicha." 12 Jesus hott no viddah kshvetzt zu di leit, un hott ksawt, "Ich binn's licht funn di veld; deah vo miah nohch kumd lawft nett im dunkla, avvah eah zayld's licht fumm layva havva." 13 Di Pharisayah henn no ksawt zu eem, "Du bisht am zeiknis gevva veyyich diah selvaht. Dei zeiknis is nett voah." 14 Jesus hott ksawt, "Even vann ich zeiknis gebb veyyich miah selvaht is mei zeiknis voah, veil ich vays funn vo es ich kumma binn difunn, un aw vo ich am hee gay binn. Avvah diah visset nett vo ich bei kumm adda vo ich hee gay.

Jesus stooped down, and with *his* finger wrote on the ground, *as though he heard them not.* **7** So when they continued asking him, he lifted up himself, and said unto them, He that is without sin among you, let him first cast a stone at her. **8** And again he stooped down, and wrote on the ground. **9** And they which heard *it*, being convicted by *their own* conscience, went out one by one, beginning at the eldest, *even* unto the last: and Jesus was left alone, and the woman standing in the midst. **10** When Jesus had lifted up himself, and saw none but the woman, he said unto her, Woman, where are those thine accusers? hath no man condemned thee? **11** She said, No man, Lord. And Jesus said unto her, Neither do I condemn thee: go, and sin no more. **12** Then spake Jesus again unto them, saying, I am the light of the world: he that followeth me shall not walk in darkness, but shall have the light of life. **13** The Pharisees therefore said unto him, Thou bearest record of thyself; thy record is not true. **14** Jesus answered and said unto them, Though I bear record of myself, *yet* my record is true: for I know whence I came, and whither I go; but ye cannot tell whence I come, and whither I go.

8:7 There's no room to judge others because we are all sinners. JZ

8:8-9 You ever wonder what Jesus wrote on the ground? You think He may have started writing all the hidden sins of those who were accusing the adulterous woman? JK

8:11 This has always been an interesting statement to me. Jesus does not condemn her sin, but He does not ignore it either. "Sin no more." This encounter with Christ is life changing. EM

15 Ihr richtet nach dem Fleisch; ich richte niemand. 16 So ich aber richte, so ist mein Gericht recht; denn ich bin nicht allein, sondern ich und der Vater, der mich gesandt hat. 17 Auch stehet in eurem Gesetze geschrieben, daß zweier Menschen Zeugnis wahr sei. 18 Ich bin's, der ich von mir selbst zeuge; und der Vater, der mich gesandt hat, zeuget auch von mir. 19 Da sprachen sie zu ihm: Wo ist dein Vater? Jesus antwortete: Ihr kennet weder mich noch meinen Vater; wenn ihr mich kennetet, so kennetet ihr auch meinen Vater. 20 Diese Worte redete Jesus an dem Gotteskasten, da er lehrete im Tempel; und niemand griff ihn; denn seine Stunde war noch nicht kommen. 21 Da sprach Jesus abermal zu ihnen: Ich gehe hinweg, und ihr werdet mich suchen und in eurer Sünde sterben; wo ich hingehe, da könnet ihr nicht hinkommen. 22 Da sprachen die Juden: Will er sich denn selbst töten, daß er spricht: Wo ich hingehe, da könnet ihr nicht hinkommen? 23 Und er sprach zu ihnen: Ihr seid von unten her, ich bin von oben herab; ihr seid von dieser Welt, ich bin nicht von dieser Welt. 24 So hab' ich euch gesagt, daß ihr sterben werdet in euren Sünden; denn so ihr nicht glaubet, daß ich es sei, so werdet ihr sterben in euren Sünden.

15 Diah richtet noch em nadiahlicha; ich richt nimmand. 16 Avvah even vann ich richta du is mei gericht recht, veil ich nett laynich richt, avvah ich richt mitt em Faddah, deah vo mich kshikt hott. 17 In eiyahm Ksetz is es aw kshrivva es es zeiknis funn zvay leit is voah. 18 Ich gebb zeiknis veyyich miah selvaht, un da Faddah vo mich kshikt hott dutt aw zeiya funn miah." 19 No henn si een kfrohkt, "Vo is dei Faddah?" Jesus hott ksawt, "Diah kennet mich nett, un aw nett mei Faddah. Vann diah mich kenna daydet, daydet diah aw mei Faddah kenna." 20 Dee vadda hott eah ksawt in di shtubb vo di tempel geld-bax voah diveil es eah si gland hott im tempel, un nimmand hott een fesht gnumma fa een eishtekka, veil sei zeit noch nett kumma voah. 21 No hott eah viddah ksawt zu eena, "Ich gay do vekk, un diah zaylet mich sucha, un zaylet shtauva in eiyah sinda. Vo ich hee gay, kennet diah nett anna kumma." 22 No henn di Yudda ksawt, "Zayld eah sich doht macha, adda favass sawkt eah, 'Vo ich hee gay, kennet diah nett anna kumma'?" 23 Eah hott ksawt zu eena, "Diah sind funn do hunna, ich binn funn ovva-heah. Diah sind funn dee veld, ich binn nett funn dee veld. 24 Ich habb eich ksawt diah zaylet shtauva in eiyah sinda. Vann diah nett glawvet es ich een binn, dann zaylet diah shtauva in eiyah sinda."

15 Ye judge after the flesh; I judge no man. **16** And yet if I judge, my judgment is true: for I am not alone, but I and the Father that sent me. **17** It is also written in your law, that the testimony of two men is true. **18** I am one that bear witness of myself, and the Father that sent me beareth witness of me. **19** Then said they unto him, Where is thy Father? Jesus answered, Ye neither know me, nor my Father: if ye had known me, ye should have known my Father also. **20** These words spake Jesus in the treasury, as he taught in the temple: and no man laid hands on him; for his hour was not yet come. **21** Then said Jesus again unto them, I go my way, and ye shall seek me, and shall die in your sins: whither I go, ye cannot come. **22** Then said the Jews, Will he kill himself? because he saith, Whither I go, ye cannot come. **23** And he said unto them, Ye are from beneath; I am from above: ye are of this world; I am not of this world. **24** I said therefore unto you, that ye shall die in your sins: for if ye believe not that I am *he*, ye shall die in your sins.

8:15 Men can only judge what they can see. God looks on the heart and knows what men truly are on the inside. He sees all the lust, deceit, and sin that people can't. There is nowhere to hide. EM

8:23 If we don't have Christ, we are of the world, no matter what we look like. JZ

8:24 Do you understand that Jesus is the very Son of God and belief in Him means to be dependent on Him and on Him alone for salvation? He was talking to Pharisees here who were always doing good works and looking for the Messiah, but Christ tells them that they were still going to die in their sins, because they still would never be good enough. EM

25 Da sprachen sie zu ihm: Wer bist du denn? Und Jesus sprach zu ihnen: Erstlich der, der ich mit euch rede. 26 Ich habe viel von euch zu reden und zu richten; aber der mich gesandt hat, ist wahrhaftig, und was ich von ihm gehöret habe, das rede ich vor der Welt. 27 Sie vernahmen aber nicht, daß er ihnen von dem Vater sagete. 28 Da sprach Jesus zu ihnen: Wenn ihr des Menschen Sohn erhöhen werdet, dann werdet ihr erkennen, daß ich es sei und nichts von nur selber tue, sondern wie mich mein Vater gelehret hat, so rede ich. 29 Und der mich gesandt hat, ist mit mir. Der Vater läßt mich nicht allein; denn ich tue allezeit, was ihm gefällt. 30 Da er solches redete, glaubten viele an ihn. 31 Da sprach nun Jesus zu den Juden, die an ihn glaubten: So ihr bleiben werdet an meiner Rede, so seid ihr meine rechten Jünger 32 und werdet die Wahrheit erkennen; und die Wahrheit wird euch freimachen. 33 Da antworteten sie ihm: Wir sind Abrahams Samen, sind nie keinmal jemands Knechte gewesen; wie sprichst du denn: Ihr sollt frei werden? 34 Jesus antwortete ihnen und sprach: Wahrlich, wahrlich, ich sage euch, wer Sünde tut der ist der Sünde Knecht. 35 Der Knecht aber bleibet nicht ewiglich im Hause; der Sohn bleibet ewiglich.

25 No henn si een kfrohkt, "Yusht veah bisht du?" Un Jesus hott ksawt zu eena, "Deah vo ich ksawt habb es ich binn grawt fumm ohfang. 26 Ich habb feel sacha zu sawwa un zu richta veyyich eich, avvah deah vo mich kshikt hott is voahhaftich; un vass ich keaht habb funn eem, sawk ich zu di veld." 27 Si henn nett fashtanna es eah kshvetzt hott zu eena veyyich em Faddah. 28 No hott Jesus ksawt zu eena, "Vann diah moll da Mensha Sohn uf kohva hend, no visset diah es ich een binn, un es ich nix du funn miah selvaht, avvah es ich shvetz yusht vass da Faddah mich gland hott. 29 Un deah vo mich kshikt hott is bei miah. Eah hott mich nett laynich glost, veil ich immah du vass eem kfellich is." 30 Vi eah so kshvetzt hott, henn feel leit an een geglawbt. 31 Jesus hott no ksawt zu di Yudda vo an een geglawbt henn, "Vann diah in meim Vatt bleivet, dann sind diah voahlich mei yingah. 32 Un diah zaylet di voahheit vissa, un di voahheit macht eich frei." 33 Si henn ksawt zu eem, "Miah sinn em Abraham sei nohchkummashaft, un miah voahra nee nimmand sei gnechta gvest. Vass maynsht du, 'Diah zaylet frei gmacht sei'?" 34 Jesus hott eena ksawt, "Voahlich, voahlich, ich sawk eich, alli-ebbah es sindicha dutt is en gnecht zu sinda. 35 Da gnecht bleibt nett immah im haus, avvah da Sohn bleibt immah.

25 Then said they unto him, Who art thou? And Jesus saith unto them, Even *the same* that I said unto you from the beginning. **26** I have many things to say and to judge of you: but he that sent me is true; and I speak to the world those things which I have heard of him. **27** They understood not that he spake to them of the Father. **28** Then said Jesus unto them, When ye have lifted up the Son of man, then shall ye know that I am *he*, and *that* I do nothing of myself; but as my Father hath taught me, I speak these things. **29** And he that sent me is with me: the Father hath not left me alone; for I do always those things that please him. **30** As he spake these words, many believed on him. **31** Then said Jesus to those Jews which believed on him, If ye continue in my word, *then* are ye my disciples indeed; **32** And ye shall know the truth, and the truth shall make you free. **33** They answered him, We be Abraham's seed, and were never in bondage to any man: how sayest thou, Ye shall be made free? **34** Jesus answered them, Verily, verily, I say unto you, Whosoever committeth sin is the servant of sin. **35** And the servant abideth not in the house for ever: *but* the Son abideth ever.

8:31 Actions always speak louder than words. What do your actions prove about you? JK

8:33 Their Jewish heritage and religion did not mean anything to Jesus. EM

36 So euch nun der Sohn frei-
macht, so seid ihr recht frei. 37
Ich weiß wohl, daß ihr Abrahams
Samen seid; aber ihr suchet mich
zu töten; denn meine Rede fän-
get nicht unter euch. 38 Ich
rede, was ich von meinem Vater
gesehen habe; so tut ihr, was ihr
von eurem Vater gesehen habt. 39
Sie antworteten und sprachen zu
ihm: Abraham ist unser Vater.
Spricht Jesus zu ihnen: Wenn
ihr Abrahams Kinder wäret, so
tätet ihr Abrahams Werke. 40
Nun aber suchet ihr mich zu töten,
einen solchen Menschen, der ich
euch die Wahrheit gesagt habe, die
ich von Gott gehöret habe; das hat
Abraham nicht getan. 41 Ihr tut
eures Vaters Werke. Da sprachen
sie zu ihm: Wir sind nicht unehelich
geboren; wir haben einen Vater,
Gott. 42 Jesus sprach zu ihnen:
Wäre Gott euer Vater, so liebetet
ihr mich; denn ich bin ausgegangen
und komme von Gott; denn ich
bin nicht von mir selber kommen,
sondern er hat mich gesandt. 43
Warum kennet ihr denn meine
Sprache nicht? denn ihr könnt ja
mein Wort nicht hören. 44 Ihr
seid von dem Vater, dem Teufel,
und nach eures Vaters Lust wollt
ihr tun. Derselbige ist ein Mörder
von Anfang und ist nicht bestan-
den in der Wahrheit; denn die
Wahrheit ist nicht in ihm. Wenn
er die Lügen redet, so redet er von
seinem Eigenen; denn er ist ein
Lügner und ein Vater derselbigen.

36 So, vann da Sohn eich frei macht,
no sind diah recht frei. 37 Ich vays es
diah em Abraham sei nohch-kumma-
shaft sind, avvah diah sind alsnoch
am gukka fa mich doht macha, veil
diah kenn blatz hend in eich fa mei
vadda. 38 Ich shvetz veyyich di sacha
es ich ksenna habb bei meim Faddah,
un diah doond vass diah ksenna
hend funn eiyahm faddah." 39 Si
henn eem ksawt, "Da Abraham is
unsah faddah." No hott Jesus ksawt,
"Vann diah em Abraham sei kinnah
veahret, daydet diah di sacha du es
eah gedu hott. 40 Avvah diah vellet
mich doht macha, en mann es eich
di voahret ksawt hott es ich keaht
habb funn Gott. So sacha hott da
Abraham nett gedu. 41 Diah doond
di sacha vass eiyah faddah dutt." Si
henn ksawt zu eem, "Miah sinn nett
geboahra aus aybruch; miah henn ay
Faddah un eah is Gott." 42 Jesus hott
eena ksawt, "Diah daydet mich leeva
vann Gott eiyah Faddah veah, veil
ich funn eem do heah kumma binn.
Ich binn nett kumma funn miah
selvaht avvah eah hott mich kshikt.
43 Favass kennet diah nett fashtay
vass ich sawk? Es is veil diah nett
shtenda kennet fa mei Vatt heahra.
44 Diah sind funn eiyahm faddah,
da Deivel, un diah vellet eiyahm fad-
dah sei falanga ausfiahra. Eah voah
en doht-shlayyah fumm ohfang un
eah hott nix zu du mitt di voahheit,
veil kenn voahheit in eem is. Vann
eah leeya sawkt, shvetzt eah noch sei
aykni naduah, veil eah en leeyah is,
un da faddah funn leeya is.

36 If the Son therefore shall make you free, ye shall be free indeed. **37** I know that ye are Abraham's seed; but ye seek to kill me, because my word hath no place in you. **38** I speak that which I have seen with my Father: and ye do that which ye have seen with your father. **39** They answered and said unto him, Abraham is our father. Jesus saith unto them, If ye were Abraham's children, ye would do the works of Abraham. **40** But now ye seek to kill me, a man that hath told you the truth, which I have heard of God: this did not Abraham. **41** Ye do the deeds of your father. Then said they to him, We be not born of fornication; we have one Father, *even* God. **42** Jesus said unto them, If God were your Father, ye would love me: for I proceeded forth and came from God; neither came I of myself, but he sent me. **43** Why do ye not understand my speech? *even* because ye cannot hear my word. **44** Ye are of *your* father the devil, and the lusts of your father ye will do. He was a murderer from the beginning, and abode not in the truth, because there is no truth in him. When he speaketh a lie, he speaketh of his own: for he is a liar, and the father of it.

8:36 It doesn't get any clearer than this. We're free indeed. JZ

8:44 Not words I ever want to hear. JZ

45 Ich aber, weil ich die Wahrheit sage, so glaubet ihr mir nicht. 46 Welcher unter euch kann mich einer Sünde zeihen? So ich euch aber die Wahrheit sage, warum glaubet ihr mir nicht? 47 Wer von Gott ist, der höret Gottes Wort. Darum höret ihr nicht; denn ihr seid nicht von Gott. 48 Da antworteten die Juden und sprachen zu ihm: Sagen wir nicht recht, daß du ein Samariter bist und hast den Teufel. 49 Jesus antwortete: Ich habe keinen Teufel, sondern ich ehre meinen Vater, und ihr unehret mich. 50 Ich suche nicht meine Ehre; es ist aber einer, der sie suchet und richtet. 51 Wahrlich, wahrlich, ich sage euch: So jemand mein Wort wird halten, der wird den Tod nicht sehen ewiglich. 52 Da sprachen die Juden zu ihm: Nun erkennen wir, daß du den Teufel hast. Abraham ist gestorben und die Propheten, und du sprichst: So jemand mein Wort hält, der wird den Tod nicht schmecken ewiglich. 53 Bist du mehr denn unser Vater Abraham, welcher gestorben ist? Und die Propheten sind gestorben. Was machst du aus dir selbst? 54 Jesus antwortete: So ich mich selber ehre, so ist meine Ehre nichts. Es ist aber mein Vater, der mich ehret, von welchem ihr sprecht, er sei euer Gott, 55 und kennet ihn nicht. Ich aber kenne ihn. Und so ich würde sagen, ich kenne ihn nicht, so würde ich ein Lügner, gleichwie ihr seid. Aber ich kenne ihn und halte sein Wort.

45 Avvah, veil ich eich di voahret sawk, doond diah nett glawva vass ich sawk. 46 Vels funn eich kann zeiya zu ay sind es ich gedu habb? Vann ich eich di voahret sawk, favass glawvet diah miah nett? 47 Deah vo funn Gott is, heaht di vadda funn Gott. Diah heahret si nett veil diah nett funn Gott sind." 48 Di Yudda henn ksawt zu eem, "Sinn miah nett recht fa sawwa es du en Samariddah bisht un hosht en baysah geisht?" 49 Jesus hott ksawt, "Ich habb kenn baysah geisht. Ich du mei Faddah eahra, avvah diah vellet mei eah vekk nemma. 50 Ich gukk nett fa mich selvaht eahra. Es is aynah es am gukka is fa mich eahra, un eah dutt richta. 51 Voahlich, voahlich, ich sawk eich, vann ebbah mei vadda hald, zayld eah nee nett shtauva." 52 No henn di Yudda ksawt zu eem, "Nau vissa miah es du en baysah geisht hosht. Da Abraham is kshtauva un aw di brofayda, un du sawksht, 'Vann ebbah mei vadda hald zayld eah nee nett shtauva.' 53 Bisht du graysah es unsah faddah da Abraham vo kshtauva is? Un di brofayda sinn aw kshtauva. Veah maynsht du es du bisht?" 54 Jesus hott ksawt, "Vann ich mich selvaht eahra du, dann is selli eah nix. Es is mei Faddah vo mich eahra dutt un diah sawwet eah is eiyah Gott. 55 Diah hend een nett gekend, avvah ich kenn een. Vann ich sawwa dayt es ich een nett kenna dayt, veah ich en leeyah vi diah sind. Avvah ich kenn een, un ich hald sei Vatt.

45 And because I tell *you* the truth, ye believe me not. **46** Which of you convinceth me of sin? And if I say the truth, why do ye not believe me? **47** He that is of God heareth God's words: ye therefore hear *them* not, because ye are not of God. **48** Then answered the Jews, and said unto him, Say we not well that thou art a Samaritan, and hast a devil? **49** Jesus answered, I have not a devil; but I honour my Father, and ye do dishonour me. **50** And I seek not mine own glory: there is one that seeketh and judgeth. **51** Verily, verily, I say unto you, If a man keep my saying, he shall never see death. **52** Then said the Jews unto him, Now we know that thou hast a devil. Abraham is dead, and the prophets; and thou sayest, If a man keep my saying, he shall never taste of death. **53** Art thou greater than our father Abraham, which is dead? and the prophets are dead: whom makest thou thyself? **54** Jesus answered, If I honour myself, my honour is nothing: it is my Father that honoureth me; of whom ye say, that he is your God: **55** Yet ye have not known him; but I know him: and if I should say, I know him not, I shall be a liar like unto you: but I know him, and keep his saying.

8:52 We shall never taste of death. Thank you Jesus. JZ

56 Abraham, euer Vater, ward froh, daß er meinen Tag sehen sollte; und er sah ihn und freuete sich. 57 Da sprachen die Juden zu ihm: Du bist noch nicht fünfzig Jahre alt und hast Abraham gesehen? 58 Jesus sprach zu ihnen: Wahrlich, wahrlich, ich sage euch: Ehe denn Abraham ward, bin ich. 59 Da huben sie Steine auf, daß sie auf ihn würfen. Aber Jesus verbarg sich und ging zum Tempel hinaus, mitten durch sie hinstreichend.

9:1 Und Jesus ging vorüber und sah einen, der blind geboren war. 2 Und seine Jünger fragten ihn und sprachen: Meister, wer hat gesündiget, dieser oder seine Eltern, daß er ist blind geboren? 3 Jesus antwortete: Es hat weder dieser gesündiget noch seine Eltern, sondern daß die Werke Gottes offenbar würden an ihm. 4 Ich muß wirken die Werke des, der mich gesandt hat, solange es Tag ist; es kommt die Nacht, da niemand wirken kann. 5 Dieweil ich bin in der Welt, bin ich das Licht der Welt. 6 Da er solches gesagt, spützete er auf die Erde und machte einen Kot aus dem Speichel und schmierete den Kot auf des Blinden Augen 7 und sprach zu ihm: Gehe hin zu dem Teich Siloah (das ist verdolmetschet: gesandt) und wasche dich. Da ging er hin und wusch sich und kam sehend.

56 Eiyah faddah, da Abraham, hott sich kfroit veil eah mei dawk sayna hott sella. Eah hott en ksenna un eah voah froh." 57 No henn di Yudda ksawt zu eem, "Du bisht noch nett fuftzich yoah ald un du sawksht du hosht da Abraham ksenna?" 58 Jesus hott eena ksawt, "Voahlich, voahlich, ich sawk eich, eb da Abraham voah, binn ich." 59 No henn si shtay uf gnumma fa een shtaynicha. Avvah Jesus hott sich fashtekkeld, un is unnich eena fabei naus aus em tempel ganga.

9:1 Vo Jesus fabei ganga is, hott eah en mann ksenna es blind geboahra voah. 2 No henn sei yingah een kfrohkt, "Meishtah, veah hott ksindicht es deah mann blind geboahra voah? Eah, adda sei eldra?" 3 Jesus hott eena ksawt, "Deah mann hott nett ksindicht un aw nett sei eldra, avvah eah voah so geboahra es Gott sei verka gvissa vadda kenna deich een. 4 Ich muss di eahvet shaffa funn demm vo mich kshikt hott diveil es es dawk is. Di nacht kumd vann nimmand shaffa kann. 5 So lang es ich in di veld binn, binn ich's licht funn di veld. 6 Vo eah dess ksawt katt hott, hott eah uf da bodda kshpautzt un hott en drekk daykli gmacht, hott's uf em mann sei awwa gedu 7 un hott ksawt zu eem, "Gay un vesh dich im vassah-loch, Siloah" (sell vatt maynd Kshikt). No is eah ganga un hott sich gvesha un vo eah zrikk kumma is hott eah sayna kenna.

56 Your father Abraham rejoiced to see my day: and he saw *it*, and was glad. **57** Then said the Jews unto him, Thou art not yet fifty years old, and hast thou seen Abraham? **58** Jesus said unto them, Verily, verily, I say unto you, Before Abraham was, I am. **59** Then took they up stones to cast at him: but Jesus hid himself, and went out of the temple, going through the midst of them, and so passed by.

9:1 And as *Jesus* passed by, he saw a man which was blind from *his* birth. **2** And his disciples asked him, saying, Master, who did sin, this man, or his parents, that he was born blind? **3** Jesus answered, Neither hath this man sinned, nor his parents: but that the works of God should be made manifest in him. **4** I must work the works of him that sent me, while it is day: the night cometh, when no man can work. **5** As long as I am in the world, I am the light of the world. **6** When he had thus spoken, he spat on the ground, and made clay of the spittle, and he anointed the eyes of the blind man with the clay, **7** And said unto him, Go, wash in the pool of Siloam, (which is by interpretation, Sent.) He went his way therefore, and washed, and came seeing.

8:58 "Before Abraham was, I am." Jesus declared Himself to be God. Compare this statement with Exodus 3:14 where God said, "I AM THAT I AM . . . say unto the children of Israel, I AM hath sent me unto you." The Pharisees understood but rejected Jesus; may more people today understand and believe. SW

8:59 The truth can be very hard to hear sometimes. EM

8:59 I love how Jesus didn't fight back. JZ

9:2 The disciples asked a question that still puzzles many people today. Why are some children born with physical defects? Is it judgment from God upon the parents for some sin, or is it possibly God's judgment upon the children for sins that God knows they will commit? JK

9:3 God chose to put this man in misery so that He would receive glory. Had this man not been blind he probably would have never seen or known Jesus. His blindness was a blessing. EM

8 Die Nachbarn, und die ihn zuvor gesehen hatten, daß er ein Bettler war, sprachen: Ist dieser nicht, der da saß und bettelte? 9 Etliche sprachen: Er ist's; etliche aber: Er ist ihm ähnlich. Er selbst aber sprach: Ich bin's. 10 Da sprachen sie zu ihm: Wie sind deine Augen aufgetan? 11 Er antwortete und sprach: Der Mensch, der Jesus heißet, machte einen Kot und schmierete meine Augen und sprach: Gehe hin zu dem Teich Siloah und wasche dich. Ich ging hin und wusch mich und ward sehend. 12 Da sprachen sie zu ihm: Wo ist derselbige? Er sprach: Ich weiß nicht. 13 Da führeten sie ihn zu den Pharisäern, der weiland blind war. 14 (Es war aber Sabbat, da Jesus den Kot machte und seine Augen öffnete.) 15 Da fragten sie ihn abermal, auch die Pharisäer, wie er wäre sehend worden. Er aber sprach zu ihnen: Kot legte er mir auf die Augen, und ich wusch mich und bin nun sehend. 16 Da sprachen etliche der Pharisäer: Der Mensch ist nicht von Gott, dieweil er den Sabbat nicht hält. Die andern aber sprachen: Wie kann ein sündiger Mensch solche Zeichen tun? Und es ward eine Zwietracht unter ihnen.

8 Di nochbahra un selli vo een ksenna katt henn bedla difoah henn ksawt, "Is dess nett da mann vo als kokt hott am bedla?" 9 Dayl henn ksawt, "Es is een." Anri henn ksawt, "Nay, avvah's gukt vi een." Da mann selvaht hott ksawt, "Ich binn da mann." 10 No henn see ksawt zu eem, "Vi voahra dei awwa uf gmacht?" 11 Eah hott ksawt, "Deah mann es Jesus hayst, hott en drekk daykli gmacht un hott's uf mei awwa gedu. No hott eah ksawt, 'Gay un vesh dich in Siloah.' Ich binn ganga, habb mich gvesha un habb no sayna kenna." 12 Si henn een kfrohkt, "Vo is eah?" Da mann hott ksawt, "Ich vays nett." 13 No henn si da mann vo als blind voah zu di Pharisayah gebrocht. 14 Nau es voah uf em Sabbat-Dawk vo Jesus en daykli gmacht hott un hott em mann sei awwa uf gmacht. 15 Di Pharisayah henn da mann viddah kfrohkt vi es is es eah sayna kann. Un eah hott eena ksawt, "Eah hott en drekk daykli gmacht un's uf mei awwa gedu, un ich habb mich gvesha un nau kann ich sayna." 16 Dayl funn di Pharisayah henn ksawt, "Deah mann is nett funn Gott, veil eah da Sabbat nett hald." Avvah anri henn ksawt, "Vi kann en sindichah mensh so zaycha du?" Un si voahra nett aynich unnich nannah.

8 The neighbours therefore, and they which before had seen him that he was blind, said, Is not this he that sat and begged? **9** Some said, This is he: others *said*, He is like him: *but* he said, I am *he*. **10** Therefore said they unto him, How were thine eyes opened? **11** He answered and said, A man that is called Jesus made clay, and anointed mine eyes, and said unto me, Go to the pool of Siloam, and wash: and I went and washed, and I received sight. **12** Then said they unto him, Where is he? He said, I know not. **13** They brought to the Pharisees him that aforetime was blind. **14** And it was the sabbath day when Jesus made the clay, and opened his eyes. **15** Then again the Pharisees also asked him how he had received his sight. He said unto them, He put clay upon mine eyes, and I washed, and do see. **16** Therefore said some of the Pharisees, This man is not of God, because he keepeth not the sabbath day. Others said, How can a man that is a sinner do such miracles? And there was a division among them.

9:6 This beggar was no different from any of us. If he had not had faith that he was going to be healed, he would have wiped the spit off his eyes and gone back to begging. JK

9:7 The end of the verse says," and he came seeing." What healed his eyes? Was it the mud? Jesus' spit? His trip to the pool? Washing the mud off his face? You know what I think? I believe it was the man's faith! Faith is key in everything we do as Christians. It is faith that saves us from our sins and the lake of fire. Do you have faith? JK

9:15 Do you see how these religious guys looked right past the miracle that could have turned their hearts to God. They were more concerned about their own pride and man-made rules than they were about this miracle that had just taken place. "They strained at a gnat and swallowed a camel" (Matthew 23:24). JK

9:16 The Pharisees were so concerned about the Law they failed to see that one greater than the Law was among them. God had a message for them that they refused to see. EM

17 Sie sprachen wieder zu dem Blinden: Was sagest du von ihm, daß er hat deine Augen aufgetan? Er aber sprach: Er ist ein Prophet. 18 Die Juden glaubten nicht von ihm, daß er blind gewesen und sehend worden wäre, bis daß sie riefen die Eltern des, der sehend war worden, 19 fragten sie und sprachen: Ist das euer Sohn, von welchem ihr saget, er sei blind geboren? Wie ist er denn nun sehend? 20 Seine Eltern antworteten ihnen und sprachen: Wir wissen, daß dieser unser Sohn ist, und daß er blind geboren ist. 21 Wie er aber nun sehend ist, wissen wir nicht; oder wer ihm hat seine Augen aufgetan, wissen wir auch nicht. Er ist alt genug, fraget ihn; lasset ihn selbst für sich reden. 22 Solches sagten seine Eltern; denn sie fürchteten sich vor den Juden. Denn die Juden hatten sich schon vereiniget, so jemand ihn für Christum bekennete, daß derselbe in Bann getan würde. 23 Darum sprachen seine Eltern: Er ist alt genug, fraget ihn. 24 Da riefen sie zum andernmal den Menschen, der blind gewesen war, und sprachen zu ihm: Gib Gott die Ehre! Wir wissen, daß dieser Mensch ein Sünder ist. 25 Er antwortete und sprach: Ist er ein Sünder, das weiß ich nicht; eines weiß ich wohl, daß ich blind war und bin nun sehend. 26 Da sprachen sie wieder zu ihm: Was tat er dir? Wie tat er deine Augen auf? 27 Er antwortete ihnen: Ich

17 No henn si viddah ksawt zumm blinda mann, "Vass sawksht du veyyich eem, siddah es eah dei awwa uf gmacht hott?" Eah hott ksawt, "Eah is en brofayt." 18 Di Yudda henn nett geglawbt es eah blind voah, un es sei awwa uf gmacht voahra, biss si kshikt henn fa em mann sei eldra, 19 un henn si kfrohkt, "Is dess eiyah boo? Is dess da vann vo diah sawwet es blind voah? Vi is es es eah nau sayna kann?" 20 Sei eldra henn no ksawt, "Miah vissa es dess unsah boo is, un es eah blind geboahra voah. 21 Avvah vi eah nau sayna kann, adda veah sei awwa uf gmacht hott vissa miah nett. Frohwet een, eah is uf eld, eah kann shvetza fa sich selvaht." 22 Sei eldra henn dess ksawt veil si sich kfeicht henn veyyich di Yudda. Di Yudda henn shund ausgmacht katt unnich nannah es ennich ebbah es sawkt, Jesus is Christus, sett aus di gmay gedu vadda. 23 Fasell henn sei eldra ksawt, "Frohwet een, eah is uf eld." 24 No's zvett mohl henn si da mann vo blind voah, bei groofa un henn ksawt zu eem, "Gebb Gott di eah; miah vissa es deah mensh en sindah is." 25 Da mann hott ksawt, "Eb eah en sindah is vays ich nett. Avvah ich vays ay ding. Ich voah blind un nau kann ich sayna." 26 Si henn een kfrohkt, "Vass hott eah gedu zu diah? Vi hott eah dei awwa uf gmacht?" 27 Eah hott eena ksawt, "Ich

17 They say unto the blind man again, What sayest thou of him, that he hath opened thine eyes? He said, He is a prophet. **18** But the Jews did not believe concerning him, that he had been blind, and received his sight, until they called the parents of him that had received his sight. **19** And they asked them, saying, Is this your son, who ye say was born blind? how then doth he now see? **20** His parents answered them and said, We know that this is our son, and that he was born blind: **21** But by what means he now seeth, we know not; or who hath opened his eyes, we know not: he is of age; ask him: he shall speak for himself. **22** These *words* spake his parents, because they feared the Jews: for the Jews had agreed already, that if any man did confess that he was Christ, he should be put out of the synagogue. **23** Therefore said his parents, He is of age; ask him. **24** Then again called they the man that was blind, and said unto him, Give God the praise: we know that this man is a sinner. **25** He answered and said, Whether he be a sinner *or no*, I know not: one thing I know, that, whereas I was blind, now I see. **26** Then said they to him again, What did he to thee? how opened he thine eyes? **27** He answered

9:22 What would cause such devout, religious people to deny Christ? JZ

9:25 Wow! I love this man's attitude. In all the religious pride, confusion, and division, this man stood up and said, "one thing I know, that, whereas I was blind, now I see." JK

9:27 The Pharisees just refused to believe the truth that was staring them in the face. EM

hab's euch jetzt gesagt; habt ihr's nicht gehöret? Was wollt ihr's abermal hören? Wollt ihr auch seine Jünger werden? 28 Da fluchten sie ihm und sprachen: Du bist sein Jünger; wir aber sind Mose's Jünger. 29 Wir wissen, daß Gott mit Mose geredet hat; diesen aber wissen wir nicht, von wannen er ist. 30 Der Mensch antwortete und sprach zu ihnen: Das ist ein wunderlich Ding, daß ihr nicht wisset, von wannen er sei; und er hat meine Augen aufgetan! 31 Wir wissen aber, daß Gott die Sünder nicht höret, sondern so jemand gottesfürchtig ist und tut seinen Willen, den höret er. 32 Von der Welt an ist's nicht erhöret, daß jemand einem gebornen Blinden die Augen aufgetan habe. 33 Wäre dieser nicht von Gott, er könnte nichts tun. 34 Sie antworteten und sprachen zu ihm: Du bist ganz in Sünden geboren und lehrest uns? Und stießen ihn hinaus. 35 Es kam vor Jesum, daß sie ihn ausgestoßen hatten. Und da er ihn fand, sprach er zu ihm: Glaubest du an den Sohn Gottes? 36 Er antwortete und sprach: HERR, welcher ist's, auf daß ich an ihn glaube? 37 Jesus sprach zu ihm: Du hast ihn gesehen, und der mit dir redet, der ist's. 38 Er aber sprach: HERR, ich glaube; und betete ihn an.

habb eich sell difoah ksawt un diah heichet miah nett ab. Favass vellet diah dess viddah heahra? Vellet diah aw sei yingah vadda?" 28 No henn si een fasholda un henn ksawt, "Du bisht ayns funn sei yingah, avvah miah sinn em Mosi sei yingah. 29 Miah vissa es Gott kshvetzt hott zumm Mosi, avvah veyyich demm mann, miah vissa nett vo eah bei kumd." 30 No hott da mann ksawt, "Vei dess is en vundahboahlich ding! Diah visset nett vo eah bei kumd, even noch demm es eah mei awwa uf gmacht hott? 31 Miah vissa es Gott nett abheicht zu sindah, avvah vann ebbah Gott deend un dutt sei villa, dann dutt eah eem abheicha. 32 Nett siddah da ohfang funn di veld voah's keaht vo ebbah en mann sei awwa uf gmacht hott es blind geboahra voah. 33 Vann deah mann nett funn Gott veah, kend eah nix so du." 34 No henn si ksawt zu eem, "Du voahsht gans in sinda geboahra, un nau vitt du uns lanna?" No henn si een naus gedu. 35 Jesus hott auskfunna es si een naus gedu henn, un vo eah een kfunna katt hott, hott eah een kfrohkt, "Glawbsht du an da Sohn Gottes?" 36 Eah hott ksawt, "Veah is eah, Hah, so es ich an een glawva kann?" 37 Jesus hott ksawt zu eem, "Du hosht een ksenna, un's is een vo shvetzt zu diah." 38 No hott da mann ksawt, "Hah, ich glawb," un eah hott Jesus ohgebayda.

them, I have told you already, and ye did not hear: wherefore would ye hear *it* again? will ye also be his disciples? **28** Then they reviled him, and said, Thou art his disciple; but we are Moses' disciples. **29** We know that God spake unto Moses: *as for* this *fellow*, we know not from whence he is. **30** The man answered and said unto them, Why herein is a marvellous thing, that ye know not from whence he is, and *yet* he hath opened mine eyes. **31** Now we know that God heareth not sinners: but if any man be a worshipper of God, and doeth his will, him he heareth. **32** Since the world began was it not heard that any man opened the eyes of one that was born blind. **33** If this man were not of God, he could do nothing. **34** They answered and said unto him, Thou wast altogether born in sins, and dost thou teach us? And they cast him out. **35** Jesus heard that they had cast him out; and when he had found him, he said unto him, Dost thou believe on the Son of God? **36** He answered and said, Who is he, Lord, that I might believe on him? **37** And Jesus said unto him, Thou hast both seen him, and it is he that talketh with thee. **38** And he said, Lord, I believe. And he worshipped him.

9:31 We are saved by grace, but God expects Christ to live through us – doing His will. JZ

39 Und Jesus sprach: Ich bin zum Gerichte auf diese Welt kommen, auf daß, die da nicht sehen, sehend werden, und die da sehen, blind werden. 40 Und solches höreten etliche der Pharisäer, die bei ihm waren, und sprachen zu ihm: Sind wir denn auch blind? 41 Jesus sprach zu ihnen: Wäret ihr blind, so hättet ihr keine Sünde; nun ihr aber sprechet: Wir sind sehend, bleibet eure Sünde.

10:1 Wahrlich, wahrlich, ich sage euch: Wer nicht zur Tür hineingehet in den Schafstall, sondern steiget anderswo hinein, der ist ein Dieb und ein Mörder. 2 Der aber zur Tür hineingehet, der ist ein Hirte der Schafe. 3 Demselbigen tut der Türhüter auf, und die Schafe hören seine Stimme; und er ruft seine Schafe mit Namen und führet sie aus. 4 Und wenn er seine Schafe hat ausgelassen, gehet er vor ihnen hin, und die Schafe folgen ihm nach; denn sie kennen seine Stimme. 5 Einem Fremden aber folgen sie nicht nach, sondern fliehen von ihm; denn sie kennen der Fremden Stimme nicht. 6 Diesen Spruch sagte Jesus zu ihnen; sie vernahmen aber nicht, was es war, das er zu ihnen sagte. 7 Da sprach Jesus wieder zu ihnen: Wahrlich, wahrlich, ich sage euch: Ich bin die Tür zu, den Schafen. 8 Alle, die vor mir kommen sind, die sind Diebe und Mörder gewesen,

39 Jesus hott ksawt, "Fa's gericht binn ich in di veld kumma so es di blinda sayna kenna, un es dee vo sayna kenna, blind vadda." 40 Dayl funn di Pharisayah vo dibei voahra henn dess keaht, un si henn ksawt zu eem, "Sinn miah aw blind?" 41 Jesus hott ksawt zu eena, "Vann diah blind veahret, heddet diah kenn sinda. Avvah nau sawwet diah, 'Miah sayna,' un fasell bleiva eiyah sinda bei eich."

10:1 "Voahlich, voahlich, ich sawk eich, deah vo nett in da shohf-shtall nei gayt deich di deah, avvah graddeld nei deich en anrah vayk, sellah mann is en deeb un en rawvah. 2 Avvah deah vo nei gayt deich di deah is da shohf-heedah. 3 Zu eem macht da deah-heedah di deah uf, un da shohf-heedah rooft sei shohf raus bei iahra nohma. Si heahra sei shtimm un eah fiaht si naus. 4 Vann eah moll awl sei aykni raus gebrocht hott, gayt eah fannich eena heah, un di shohf gayn eem nohch veil si sei shtimm kenna. 5 Si doon nett en fremdah mann nohch kumma, avvah si shpringa vekk funn eem, veil si di fremda iahra shtimm nett kenna." 6 Jesus hott dess gleichnis gevva zu eena, avvah si henn nett fashtanna vass eah gmaynd hott dibei. 7 So hott Jesus viddah ksawt zu eena, "Voahlich, voahlich, ich sawk eich, ich binn di deah fa di shohf. 8 Awl dee vo fannich miah heah ganga sinn, voahra deeb un

39 And Jesus said, For judgment I am come into this world, that they which see not might see; and that they which see might be made blind. **40** And *some* of the Pharisees which were with him heard these words, and said unto him, Are we blind also? **41** Jesus said unto them, If ye were blind, ye should have no sin: but now ye say, We see; therefore your sin remaineth.

10:1 Verily, verily, I say unto you, He that entereth not by the door into the sheepfold, but climbeth up some other way, the same is a thief and a robber. **2** But he that entereth in by the door is the shepherd of the sheep. **3** To him the porter openeth; and the sheep hear his voice: and he calleth his own sheep by name, and leadeth them out. **4** And when he putteth forth his own sheep, he goeth before them, and the sheep follow him: for they know his voice. **5** And a stranger will they not follow, but will flee from him: for they know not the voice of strangers. **6** This parable spake Jesus unto them: but they understood not what things they were which he spake unto them. **7** Then said Jesus unto them again, Verily, verily, I say unto you, I am the door of the sheep. **8** All that ever came before me

9:39-40 Their physical eyes weren't blind, but the eyes of their hearts were. JK

10:1 There was only one way into the sheepfold and there is only one way to heaven. EM

10:4-5 Do you know how you can tell if one is truly born again? Here's how: (1) They follow Jesus. (2) They flee from the devil. JK

aber die Schafe haben ihnen nicht gehorchet. 9 Ich bin die Tür; so jemand durch mich eingehet, der wird selig werden und wird ein und aus gehen und Weide finden. 10 Ein Dieb kommt nicht, denn daß er stehle, würge und umbringe. 11 Ich bin kommen, daß sie das Leben und volle Genüge haben sollen. 12 Ich bin ein guter Hirte; ein guter Hirte lässet sein Leben für die Schafe. Ein Mietling aber, der nicht Hirte ist, des die Schafe nicht eigen sind, siehet den Wolf kommen und verlässet die Schafe und flieht; und der Wolf erhaschet und zerstreuet die Schafe. 13 Der Mietling aber flieht; denn er ist ein Mietling und achtet der Schafe nicht. 14 Ich bin ein guter Hirte und erkenne die Meinen und bin bekannt den Meinen, 15 wie mich mein Vater kennet, und ich kenne den Vater. Und ich lasse mein Leben für die Schafe. 16 Und ich habe andere Schafe, die sind nicht aus diesem Stalle. Und dieselben muß ich herführen, und sie werden meine Stimme hören, und wird eine Herde und ein Hirte werden. 17 Darum liebet mich mein Vater, daß ich mein Leben lasse, auf daß ich's wieder nehme. 18 Niemand nimmt es von mir, sondern ich lasse es von mir selber. Ich habe Macht es zu lassen und habe Macht es wieder-zunehmen. Solch Gebot habe ich empfangen von meinem Vater. 19 Da ward aber eine Zwietracht unter den Juden über diesen Worten.

rawvah, avvah di shohf henn eena nett keicht. 9 Ich binn di deah; veah-evvah es nei gayt deich mich vatt saylich. Eah gayt nei un raus un find vayt. 10 Da deeb kumd yusht fa shtayla, doht macha un fadauva. Ich binn kumma es si layva havva kenna, un es si en foll layva havva kenna. 11 Ich binn da goot shohf-heedah. Da goot shohf-heedah gebt sei layva fa di shohf. 12 Deah vo yusht gedunga is, is nett da shohf-heedah vo di shohf aykend. So vann eah da volf saynd kumma, falost eah di shohf un shpringd fatt. No graebt da volf di shohf un dreibt si ausnannah. 13 Da gnecht shpringd fatt veil eah yusht en gnecht is un gebt nix um di shohf. 14 Ich binn da goot shohf-heedah. Ich kenn dee vo mei sinn, un si kenna mich, 15 yusht vi da Faddah mich kend, un ich da Faddah kenn. Un ich gebb mei layva fa di shohf. 16 Ich habb anri shohf es nett funn demm shohf-shtall sinn. Ich muss si aw bringa. Si zayla miah abheicha, un's zayld ay drubb sei un ay shohf-heedah. 17 Fasell dutt da Faddah mich leeva; veil ich mei layva gebb so es ich's viddah nemma kann. 18 Nimmand nemd mei layva funn miah, avvah ich gebb's funn miah selvaht. Ich habb macht fa's gevva, un ich habb macht fa's viddah nemma. Dess gebott havvich grikt funn meim Faddah." 19 Di Yudda voahra viddah unaynich ivvah dee vadda.

are thieves and robbers: but the sheep did not hear them. **9** I am the door: by me if any man enter in, he shall be saved, and shall go in and out, and find pasture. **10** The thief cometh not, but for to steal, and to kill, and to destroy: I am come that they might have life, and that they might have *it* more abundantly. **11** I am the good shepherd: the good shepherd giveth his life for the sheep. **12** But he that is an hireling, and not the shepherd, whose own the sheep are not, seeth the wolf coming, and leaveth the sheep, and fleeth: and the wolf catcheth them, and scattereth the sheep. **13** The hireling fleeth, because he is an hireling, and careth not for the sheep. **14** I am the good shepherd, and know my *sheep*, and am known of mine. **15** As the Father knoweth me, even so know I the Father: and I lay down my life for the sheep. **16** And other sheep I have, which are not of this fold: them also I must bring, and they shall hear my voice; and there shall be one fold, *and* one shepherd. **17** Therefore doth my Father love me, because I lay down my life, that I might take it again. **18** No man taketh it from me, but I lay it down of myself. I have power to lay it down, and I have power to take it again. This commandment have I received of my Father. **19** There was a division therefore again among the Jews for these sayings.

10:9 The door is Christ and only Christ. EM

10:10 This boils all belief down to its simplest terms. If it is bad, it's from the devil. If it's good, it's from God. Satan ONLY knows how to steal, kill, and destroy. Jesus ONLY gives life abundantly. JK

10:13 I want the Good Shepherd Himself to lead me. JZ

10:18 How amazing that Jesus had the power to lay down His life and to take it back again. EM

20 Viele unter ihnen sprachen: Er hat den Teufel und ist unsinnig; was höret ihr ihm zu? 21 Die andern sprachen: Das sind nicht Worte eines Besessenen; kann der Teufel auch der Blinden Augen auftun? 22 Es war aber Kirchweih zu Jerusalem und war Winter. 23 Und Jesus wandelte im Tempel, in der Halle Salomos. 24 Da umringten ihn die Juden und sprachen zu ihm: Wie lange hältst du unsere Seelen auf? Bist du Christus, so sage es uns frei heraus! 25 Jesus antwortete ihnen: Ich habe es euch gesagt, und ihr glaubet nicht. Die Werke, die ich tue in meines Vaters Namen, die zeugen von mir. 26 Aber ihr glaubet nicht; denn ihr seid von meinen Schafen nicht, wie ich euch gesagt habe. 27 Denn meine Schafe hören meine Stimme, und ich kenne sie, und sie folgen mir. 28 Und ich gebe ihnen das ewige Leben; und sie werden nimmermehr umkommen, und niemand wird sie mir aus meiner Hand reißen. 29 Der Vater, der sie mir gegeben hat, ist größer denn alles; und niemand kann sie aus meines Vaters Hand reißen. 30 Ich und der Vater sind eins. 31 Da huben die Juden abermal Steine auf, daß sie ihn steinigten. 32 Jesus antwortete ihnen: Viel gute Werke habe ich euch erzeiget von meinem Vater; um welches Werk unter denselbigen steiniget ihr mich?

20 Feel funna henn ksawt, "Eah hott en baysah geisht un is aus em kobb. Favass heichet diah een ab?" 21 Anri henn ksawt, "Dess sinn nett di vadda funn ebbah es en baysah geisht hott. Kann en baysah geisht di awwa funn di blinda uf macha?" 22 Es voah deich di zeit fumm tempel-fesht an Jerusalem im vindah, 23 un Jesus voah am lawfa uf em Solomon sei poahtsh im tempel. 24 No henn di Yudda sich fasammeld um een rumm, un henn ksawt zu eem, "Vi lang haldsht du uns im dunkla? Vann du Christus bisht, sawk uns grawt raus." 25 Jesus hott ksawt zu eena, "Ich habb eich's ksawt, un diah glawvet miah's nett. Di sacha es ich du in meim Faddah sei nohma gevva zeiya funn miah. 26 Avvah diah glawvet nett veil diah nett funn meina shohf sind, vi ich eich ksawt habb. 27 Mei shohf heahra mei shtimm, ich kenn si, un si kumma miah nohch. 28 Ich gebb eena ayvich layva, un si zayla nee nett umkumma. Nimmand kann si aus mei hand reisa. 29 Mei Faddah vo si gevva hott zu miah is graysah vi alles, un nimmand kann si aus em Faddah sei hand reisa. 30 Ich un da Faddah sinn ayns." 31 Di Yudda henn no viddah shtay uf gnumma fa een shtaynicha. 32 Jesus hott eena ksawt, "Ich habb eich feel goodi verka gvissa funn meim Faddah. Fa vels funn dee vellet diah mich shtaynicha?"

20 And many of them said, He hath a devil, and is mad; why hear ye him? 21 Others said, These are not the words of him that hath a devil. Can a devil open the eyes of the blind? 22 And it was at Jerusalem the feast of the dedication, and it was winter. 23 And Jesus walked in the temple in Solomon's porch. 24 Then came the Jews round about him, and said unto him, How long dost thou make us to doubt? If thou be the Christ, tell us plainly. 25 Jesus answered them, I told you, and ye believed not: the works that I do in my Father's name, they bear witness of me. 26 But ye believe not, because ye are not of my sheep, as I said unto you. 27 My sheep hear my voice, and I know them, and they follow me: 28 And I give unto them eternal life; and they shall never perish, neither shall any *man* pluck them out of my hand. 29 My Father, which gave *them* me, is greater than all; and no *man* is able to pluck *them* out of my Father's hand. 30 I and *my* Father are one. 31 Then the Jews took up stones again to stone him. 32 Jesus answered them, Many good works have I shewed you from my Father; for which of those works do ye stone me?

10:24 What was wrong with these people? Not only had Jesus told them who He was, but He showed them over and over. Still they did not believe. Why? Because, they did not want to believe. JK

10:28 Eternal Life! Life that never ends! Life that keeps giving for 10,000 eternities! You don't have to wait until you get to heaven to get it. You can have it now, right where you are. Ask Jesus and He'll give it to you. JK

10:28 Nobody can pluck us from Jesus' hand. JZ

10:29 Men can cut my body up, but they cannot pluck me out of God's hands. Thank you Lord! I feel very secure! JK

33 Die Juden antworteten ihm und sprachen: Um des guten Werks willen steinigen wir dich nicht, sondern um der Gotteslästerung willen, und daß du ein Mensch bist und machest dich selbst zu einem Gott. 34 Jesus antwortete ihnen: Stehet nicht geschrieben in eurem Gesetz: Ich habe gesagt, ihr seid Götter? 35 So er die Götter nennet, zu welchen das Wort Gottes geschah (und die Schrift kann doch nicht gebrochen werden), 36 sprecht ihr denn zu dem, den der Vater geheiliget und in die Welt gesandt hat: Du lästerst Gott, darum daß ich sage, ich bin Gottes Sohn? 37 Tue ich nicht die Werke meines Vaters, so glaubet mir nicht. 38 Tue ich sie aber, glaubet doch den Werken, wollt ihr mir nicht glauben, auf daß ihr erkennet und glaubet, daß der Vater in mir ist und ich in ihm. 39 Sie suchten abermal, ihn zu greifen; aber er entging ihnen aus ihren Händen 40 und zog hin wieder jenseit des Jordans an den Ort, da Johannes vorhin getauft hatte, und blieb allda. 41 Und viele kamen zu ihm und sprachen: Johannes tat kein Zeichen; aber alles, was Johannes von diesem gesagt hat, das ist wahr. 42 Und glaubten allda viele an ihn.

33 Di Yudda henn ksawt, "Miah shtaynicha dich nett fa goodi verka avvah fa leshtahra, veil du, vo yusht en mann bisht, dich selvaht Gott machsht." 34 Jesus hott eena ksawt, "Is es nett kshrivva in eiyahm Ksetz, 'Ich habb ksawt diah sind gettah'? 35 Vann eah dee leit gettah kaysa hott vo's Vatt Gottes ditzu kumma is—un di Shrift kann nett gebrocha vadda—36 doond diah sawwa veyyich demm vo da Faddah raus kshteld hott un in di veld kshikt hott, 'Du bisht am leshtahra,' veil ich ksawt habb, 'Ich binn Gottes Sohn'? 37 Vann ich nett am di verka du binn funn meim Faddah dann glawvet miah nett. 38 Avvah vann ich si du, even vann diah miah nett glawvet, glawvet di verka, so es diah visset un fashtaynd es da Faddah in miah is, un ich im Faddah." 39 No henn si viddah vella een fesht nemma, avvah eah is vekk kshlibt aus iahra hend. 40 No is Jesus viddah zrikk nivvah ivvah da Jordan Revvah ganga an da blatz vo da Johannes seahsht gedawft hott, un datt is eah geblivva. 41 Un feel sinn zu eem kumma un si henn ksawt, "Da Johannes hott kenn zaycha gedu, avvah alles es eah ksawt hott veyyich demm mann voah di voahret." 42 Un feel henn an een geglawbt datt an sellem blatz.

33 The Jews answered him, saying, For a good work we stone thee not; but for blasphemy; and because that thou, being a man, makest thyself God. **34** Jesus answered them, Is it not written in your law, I said, Ye are gods? **35** If he called them gods, unto whom the word of God came, and the scripture cannot be broken; **36** Say ye of him, whom the Father hath sanctified, and sent into the world, Thou blasphemest; because I said, I am the Son of God? **37** If I do not the works of my Father, believe me not. **38** But if I do, though ye believe not me, believe the works: that ye may know, and believe, that the Father *is* in me, and I in him. **39** Therefore they sought again to take him: but he escaped out of their hand, **40** And went away again beyond Jordan into the place where John at first baptized; and there he abode. **41** And many resorted unto him, and said, John did no miracle: but all things that John spake of this man were true. **42** And many believed on him there.

10:34 This is another hard saying of Jesus, but just because something is hard does not make it false. EM

10:39 As Jesus said, no one could take His life from Him. He had to lay it down (John 10:18). It wasn't time for His death yet, so no mob, not even the entire city of Rome, could have taken Him. JK

10:42 Yes! I love when the blind start seeing and the dead are raised to life. All it takes is faith in Jesus Christ. Have your blind eyes been opened to the gospel? Have you been raised from spiritual death and given everlasting life? When did this event take place in your life? JK

11:1 Es lag aber einer krank mit Namen Lazarus von Bethanien, in dem Flecken Marias und ihrer Schwester Martha. 2 (Maria aber war, die den HERRN gesalbet hatte mit Salben und seine Füße getrocknet mit ihrem Haar; derselbigen Bruder Lazarus war krank.) 3 Da sandten seine Schwestern zu ihm und ließen ihm sagen: HERR, siehe, den du liebhast, der liegt krank. 4 Da Jesus das hörete, sprach er: Die Krankheit ist nicht zum Tode, sondern zur Ehre Gottes, daß der Sohn Gottes dadurch geehret werde. 5 Jesus aber hatte Martha lieb und ihre Schwester und Lazarus. 6 Als er nun hörete, daß er krank war, blieb er zwei Tage an dem Ort, da er war. 7 Danach spricht er zu seinen Jüngern: Lasset uns wieder nach Judäa ziehen! 8 Seine Jünger sprachen zu ihm: Meister, jenesmal wollten die Juden dich steinigen, und du willst wieder dahin ziehen? 9 Jesus antwortete: Sind nicht des Tages zwölf Stunden? Wer des Tages wandelt, der stößet sich nicht, denn er siehet das Licht dieser Welt. 10 Wer aber des Nachts wandelt, der stößet sich, denn es ist kein Licht in ihm. 11 Solches sagte er, und danach spricht er zu ihnen: Lazarus, unser Freund, schläft; aber ich gehe hin, daß ich ihn aufwecke. 12 Da sprachen seine Jünger:

11:1 Nau en mann funn Bethanien beim nohma Lazarus voah grank. Bethanien voah di shtatt funn di Maria un iahra shveshtah Martha. 2 Es voah selli Maria vo da Hah ksalbt hott mitt greidah-ayl un hott sei fees ab gebutzt mitt iahra hoah. Es voah iahra broodah da Lazarus vo grank voah. 3 Di shveshtahra henn no vatt zu Jesus kshikt un henn ksawt, "Hah, deah vo du leebsht is grank." 4 Avvah vo Jesus dess keaht hott, hott eah ksawt, "Dee granket is nett en dohdes-granket. Dess is fa di hallichkeit funn Gott, so es Gottes Sohn di eah grikt deich dess." 5 Nau Jesus hott di Martha, iahra shveshtah un da Lazarus oahrich leeb katt. 6 Vo eah keaht hott es da Lazarus grank voah, is eah noch zvay dawk lengah an sellem sayma blatz geblivva. 7 No noch sellem hott eah ksawt zu di yingah, "Vella viddah noch Judayya gay." 8 Di yingah henn ksawt zu eem, "Meishtah, di Yudda henn yusht katzlich dich shtaynicha vella un gaysht du viddah datt hee?" 9 Jesus hott ksawt, "Sinn's nett zvelf shtund imma dawk? Vann ennich ebbah dawks lawft, dutt eah nett shtolbahra veil eah's licht saynd funn dee veld. 10 Avvah vann ebbah lawft in di nacht, shtolbaht eah veil kenn licht in eem is." 11 Eah hott sellah vayk kshvetzt zu eena, no hott eah ksawt, "Unsah freind, da Lazarus, is eikshlohfa, avvah ich gay fa een ufvekka fumm shlohf." 12 Di yingah henn

11:1 Now a certain *man* was sick, *named* Lazarus, of Bethany, the town of Mary and her sister Martha. **2** (It was *that* Mary which anointed the Lord with ointment, and wiped his feet with her hair, whose brother Lazarus was sick.) **3** Therefore his sisters sent unto him, saying, Lord, behold, he whom thou lovest is sick. **4** When Jesus heard *that*, he said, This sickness is not unto death, but for the glory of God, that the Son of God might be glorified thereby. **5** Now Jesus loved Martha, and her sister, and Lazarus. **6** When he had heard therefore that he was sick, he abode two days still in the same place where he was. **7** Then after that saith he to *his* disciples, Let us go into Judaea again. **8** *His* disciples say unto him, Master, the Jews of late sought to stone thee; and goest thou thither again? **9** Jesus answered, Are there not twelve hours in the day? If any man walk in the day, he stumbleth not, because he seeth the light of this world. **10** But if a man walk in the night, he stumbleth, because there is no light in him. **11** These things said he: and after that he saith unto them, Our friend Lazarus sleepeth; but I go, that I may awake him out of sleep. **12** Then said his

11:3 Am I willing to be a close friend of Jesus? JZ

11:6-7 If Lazarus was Jesus' friend, and Jesus knew that Lazarus would die shortly, why did Jesus wait two days before heading out to heal His sick friend? I think the answer is given to us in verses 15 and 43-44. Hint! Jesus had something bigger in mind. Much bigger! JK

11:8 The disciples were still more concerned about earthly things than doing the will of the father. JZ

11:11 Jesus, God in human flesh, knew everything – see Matthew 123. JK

HErr, schläft er, so wird's besser mit ihm. 13 Jesus aber sagte von seinem Tode; sie meineten aber, er redete vom leiblichen Schlaf. 14 Da sagte es ihnen Jesus frei heraus: Lazarus ist gestorben. 15 Und ich bin froh um euretwillen, daß ich nicht dagewesen bin, auf daß ihr glaubet. Aber lasset uns zu ihm ziehen! 16 Da sprach Thomas, der da genannt ist Zwilling, zu den Jüngern: Lasset uns mit ziehen, daß wir mit ihm sterben! 17 Da kam Jesus und fand ihn, daß er schon vier Tage im Grabe gelegen war. 18 (Bethanien aber war nahe bei Jerusalem, bei fünfzehn Feldweges.) 19 Und viel Juden waren, zu Martha und Maria kommen, sie zu trösten über ihren Bruder. 20 Als Martha nun hörete, daß Jesus kommt, gehet sie ihm entgegen; Maria aber blieb daheim sitzen. 21 Da sprach Martha zu Jesu: HErr, wärest du hier gewesen, mein Bruder wäre nicht gestorben; 22 aber ich weiß auch noch, daß, was du bittest von Gott, das wird dir Gott geben. 23 Jesus spricht zu ihr: Dein Bruder soll auferstehen. 24 Martha spricht zu ihm: Ich weiß wohl, daß er auferstehen wird in der Auferstehung am Jüngsten Tage. 25 Jesus spricht zu ihr: Ich bin die Auferstehung

ksawt zu eem, "Hah, vann eah eikshlohfa is vatt eah viddah bessah." 13 Nau Jesus hott kshvetzt katt veyyich seim doht, avvah di yingah henn gmaynd eah voah am shvetza veyyich roowa im shlohf. 14 No hott Jesus eena grawt raus ksawt, "Da Lazarus is kshtauva, 15 un fa eiyah goot binn ich froh es ich nett datt voah, so es diah glawva kennet. Avvah vella zu eem gay." 16 Da Thomas, deah vo aw Zvilling kaysa hott, hott ksawt zu di yingah, "Vella aw gay, so es miah mitt eem shtauva kenna." 17 Nau vo Jesus hee kumma is, hott eah's kfunna es da Lazarus shund fiah dawk im grawb voah. 18 Bethanien voah nayksht an Jerusalem, baut zvay meil ab. 19 Un feel funn di Yudda sinn zu di Maria un di Martha kumma fa si drayshta veyyich iahrem broodah. 20 Vo di Martha keaht hott es Jesus am kumma voah, is see ganga un hott een ohgedroffa, avvah di Maria is im haus hokka geblivva. 21 Di Martha hott zu Jesus ksawt, "Hah, vann du do gvest veahsht, veah mei broodah nett kshtauva. 22 Un even nau, vays ich vann du ennich ebbes frohksht funn Gott dutt eah diah's gevva." 23 Jesus hott ksawt zu iahra, "Dei broodah zayld viddah uf shtay." 24 Di Martha hott ksawt zu eem, "Ich vays es eah viddah uf shtayt in di uffashtayung funn di dohda am letshta dawk." 25 Jesus hott ksawt zu iahra, "Ich binn di

disciples, Lord, if he sleep, he shall do well. **13** Howbeit Jesus spake of his death: but they thought that he had spoken of taking of rest in sleep. **14** Then said Jesus unto them plainly, Lazarus is dead. **15** And I am glad for your sakes that I was not there, to the intent ye may believe; nevertheless let us go unto him. **16** Then said Thomas, which is called Didymus, unto his fellowdisciples, Let us also go, that we may die with him. **17** Then when Jesus came, he found that he had *lain* in the grave four days already. **18** Now Bethany was nigh unto Jerusalem, about fifteen furlongs off: **19** And many of the Jews came to Martha and Mary, to comfort them concerning their brother. **20** Then Martha, as soon as she heard that Jesus was coming, went and met him: but Mary sat *still* in the house. **21** Then said Martha unto Jesus, Lord, if thou hadst been here, my brother had not died. **22** But I know, that even now, whatsoever thou wilt ask of God, God will give *it* thee. **23** Jesus saith unto her, Thy brother shall rise again. **24** Martha saith unto him, I know that he shall rise again in the resurrection at the last day. **25** Jesus said unto her, I am the resurrection, and the life: he

11:15 Sometimes Jesus lets difficult things happen for our own good. JZ

11:16 A few verses ago they were afraid to go, but now Thomas is ready to be a martyr. EM

11:22 That's faith! JZ

11:24 Jesus took this opportunity to prove a future fact. That is, He raised a human body from cold death, proving He has power to raise you and me in the last day. There is no getting out of it. Every single human being will be raised "at the last day"; some to life everlasting and others to eternal damnation. JK

und das Leben. Wer an mich glaubet, der wird leben, ob er gleich stürbe; 26 und wer da lebet und glaubet an mich, der wird nimmermehr sterben. Glaubest du das? 27 Sie spricht zu ihm: HERR, ja, ich glaube, daß du bist Christus, der Sohn Gottes, der in die Welt kommen ist. 28 Und da sie das gesagt hatte, ging sie hin und rief ihre Schwester Maria heimlich und sprach: Der Meister ist da und rufet dich. 29 Dieselbige, als sie das hörete, stund sie eilend auf und kam zu ihm. 30 Denn Jesus war noch nicht in den Flecken kommen, sondern war noch an dem Ort, da ihm Martha war entgegenkommen. 31 Die Juden, die bei ihr im Hause waren und trösteten sie, da sie sahen Maria, daß sie eilend aufstund und hinausging, folgten sie ihr nach und sprachen: Sie gehet hin zum Grabe, daß sie daselbst weine. 32 Als nun Maria kam, da Jesus war, und sah ihn, fiel sie zu seinen Füßen und sprach zu ihm: HERR, wärest du hier gewesen, mein Bruder wäre nicht gestorben. 33 Als Jesus sie sah weinen und die Juden auch weinen, die mit ihr kamen, ergrimmete er im Geist und betrübte sich selbst 34 und sprach: Wo habt ihr ihn hingelegt? Sie sprachen zu ihm: HERR, komm und sieh es!

uffashtayung un's layva. Deah vo an mich glawbt, even vann eah shtaubt zayld alsnoch layva. 26 Un veah-evvah es laybt un glawbt an mich, zayld nee nett shtauva. Glawbsht du dess?" 27 See hott ksawt zu eem, "Yau, Hah, ich glawb es du Christus bisht, da Sohn Gottes, deah vo in di veld kumma soll." 28 Vo see dess ksawt katt hott, is see ganga un hott iahra shveshtah Maria groofa un hott gepishpaht zu iahra, "Da Hah is do un is am frohwa fa dich." 29 Un vo see dess keaht hott is see kshvind ufkshtanna un is zu eem ganga. 30 Nau Jesus voah noch nett in di shtatt ganga, avvah voah alsnoch am sayma blatz vo di Martha een ohgedroffa katt hott. 31 Vo di Yudda, es bei eena voahra am si drayshta, ksenna henn es di Maria kshvind ufkshtanna is un naus ganga is, sinn si iahra nohch ganga. Si henn gedenkt see is am naus gay an's grawb fa heila datt. 32 No vo di Maria anna kumma is vo Jesus voah un hott een ksenna, is see an sei fees kfalla, un hott ksawt, "Hah, vann du do gvest veahsht, veah mei broodah nett kshtauva." 33 Vo Jesus see ksenna hott am heila, un di Yudda vo mitt iahra kumma sinn aw am heila voahra, hott's een hatt gedinkt im geisht un eah voah gedruvveld, 34 un hott ksawt, "Vo hend diah een anna glaykt?" Si henn ksawt zu eem, "Hah, kumm un gukk moll."

that believeth in me, though he were dead, yet shall he live: **26** And whosoever liveth and believeth in me shall never die. Believest thou this? **27** She saith unto him, Yea, Lord: I believe that thou art the Christ, the Son of God, which should come into the world. **28** And when she had so said, she went her way, and called Mary her sister secretly, saying, The Master is come, and calleth for thee. **29** As soon as she heard *that*, she arose quickly, and came unto him. **30** Now Jesus was not yet come into the town, but was in that place where Martha met him. **31** The Jews then which were with her in the house, and comforted her, when they saw Mary, that she rose up hastily and went out, followed her, saying, She goeth unto the grave to weep there. **32** Then when Mary was come where Jesus was, and saw him, she fell down at his feet, saying unto him, Lord, if thou hadst been here, my brother had not died. **33** When Jesus therefore saw her weeping, and the Jews also weeping which came with her, he groaned in the spirit, and was troubled, **34** And said, Where have ye laid him? They said unto him, Lord, come and see.

11:26-27 Let this immensely powerful truth sink deep down into your heart! Can you say with Martha and full confidence, "Yea Lord: I believe that thou art the Christ, the Son of God"? Believing this in your heart, and only this, is what saves a person from eternal damnation and eternal separation from God. JK

11:27 Her faith was in Christ and what He could do. She was fully dependent on Him; she understood there was nothing that she could do. This was all Christ. EM

35 Und Jesu gingen die Augen über. 36 Da sprachen die Juden: Siehe, wie hat er ihn so liebgehabt! 37 Etliche aber unter ihnen sprachen: Konnte, der dem Blinden die Augen aufgetan hat, nicht verschaffen, daß auch dieser nicht stürbe? 38 Jesus aber ergrimmete abermal in sich selbst und kam zum Grabe. Es war aber eine Kluft und ein Stein darauf gelegt. 39 Jesus sprach: Hebet den Stein ab! Spricht zu ihm Martha, die Schwester des Verstorbenen: HERR, er stinkt schon; denn er ist vier Tage gelegen. 40 Jesus spricht zu ihr: Hab' ich dir nicht gesagt, so du glauben würdest, du solltest die HERRLIchkeit Gottes sehen? 41 Da huben sie den Stein ab, da der Verstorbene lag. Jesus aber hub seine Augen empor und sprach: Vater, ich danke dir, daß du mich erhöret hast! 42 Doch ich weiß, daß du mich allezeit hörest, sondern um des Volks willen, das umherstehet, sage ich's, daß sie glauben, du habest mich gesandt. 43 Da er das gesagt hatte, rief er mit lauter Stimme: Lazarus, komm heraus! 44 Und der Verstorbene kam heraus, gebunden mit Grabtüchern an Füßen und Händen, und sein Angesicht verhüllet mit einem Schweißtuch. Jesus spricht zu ihnen: Löset ihn auf und lasset ihn gehen! 45 Viel nun der Juden, die zu Maria kommen waren und sahen, was Jesus tat, glaubten an ihn.

35 Jesus hott keild. 36 No henn di Yudda ksawt, "Gukk moll vi leeb es eah een katt hott!" 37 Avvah dayl henn ksawt, "Hett nett deah vo di awwa fumm blinda mann uf gmacht hott, aw deah mann halda kenda funn shtauva?" 38 No hott Jesus alsnoch's hatt gnumma vi eah an's grawb kumma is. Es voah en loch im felsa un en shtay voah fanna droh. 39 Jesus hott ksawt, "Nemmet da shtay vekk." Di Martha, em dohda mann sei shveshtah, hott ksawt zu Jesus, "Hah, bei nau dutt eah shund shtinka, veil eah shund fiah dawk doht is." 40 Jesus hott iahra ksawt, "Havvich nett ksawt vann du glawbsht, zaylsht du di hallichkeit funn Gott sayna?" 41 No henn si da shtay vekk gnumma. Un Jesus hott nuff gegukt un hott ksawt, "Faddah, ich dank dich es du mich keaht hosht. 42 Ich habb gvist es du mich immah heahsht, avvah ich habb dess ksawt fa dee leit vo do bei miah shtayn, so es si glawva es du mich kshikt hosht." 43 Vo eah dess ksawt katt hott, hott eah naus gegrisha mitt en laudi shtimm, "Lazarus, kumm raus." 44 Da mann es doht gvest voah is raus kumma. Sei hend un fees voahra gebunna mitt di grawb-glaydah, un sei ksicht voah gebunna mitt en duch. Jesus hott no ksawt zu eena, "Nemmet di grawb-glaydah ab un losset een gay." 45 Feel funn di Yudda vo mitt di Maria kumma voahra un ksenna henn vass eah gedu katt hott, henn no an een geglawbt.

35 Jesus wept. 36 Then said the Jews, Behold how he loved him! 37 And some of them said, Could not this man, which opened the eyes of the blind, have caused that even this man should not have died? 38 Jesus therefore again groaning in himself cometh to the grave. It was a cave, and a stone lay upon it. 39 Jesus said, Take ye away the stone. Martha, the sister of him that was dead, saith unto him, Lord, by this time he stinketh: for he hath been *dead* four days. 40 Jesus saith unto her, Said I not unto thee, that, if thou wouldest believe, thou shouldest see the glory of God? 41 Then they took away the stone *from the place* where the dead was laid. And Jesus lifted up *his* eyes, and said, Father, I thank thee that thou hast heard me. 42 And I knew that thou hearest me always: but because of the people which stand by I said *it*, that they may believe that thou hast sent me. 43 And when he thus had spoken, he cried with a loud voice, Lazarus, come forth. 44 And he that was dead came forth, bound hand and foot with graveclothes: and his face was bound about with a napkin. Jesus saith unto them, Loose him, and let him go. 45 Then many of the Jews which came to Mary, and had seen the things which Jesus did, believed on him.

11:35 Jesus didn't just have a tear run down His cheek. He wept. As the old hymn song goes: "The love of God is greater far than tongue or pen can ever tell; It goes beyond the highest star, and reaches to the lowest hell." JK

11:39 Why four days? There would be no question that Lazarus was actually dead, and the miracle of this resurrection and all future resurrections would be understood. Jesus has power over life and death. EM

11:39 As gruesome as this may sound, we must understand: Lazarus's body was not only stinking at this point, it was decomposed and sick looking. It is very possible that worms were already eating away at his flesh. Bringing him back from the dead was something only God could do. JK

11:42 Jesus did more than let His life speak for Him – He also used His mouth. JZ

11:43 It has been suggested by some that if Jesus would not have called Lazarus by name, every dead body in the graves would have come forth. That is the power of our Savior and Lord Jesus Christ. JK

46 Etliche aber von ihnen gingen hin zu den Pharisäern und sagten ihnen, was Jesus getan hatte. 47 Da versammelten die Hohenpriester und die Pharisäer einen Rat und sprachen: Was tun wir? Dieser Mensch tut viel Zeichen. 48 Lassen wir ihn also, so werden sie alle an ihn glauben. So kommen dann die Römer und nehmen uns Land und Leute. 49 Einer aber unter ihnen, Kaiphas, der desselben Jahres Hoherpriester war, sprach zu ihnen: Ihr wisset nichts, 50 bedenket auch nichts; es ist uns besser, ein Mensch sterbe für das Volk, denn daß das ganze Volk verderbe. 51 Solches aber redete er nicht von sich selbst, sondern, dieweil er desselbigen Jahres Hoherpriester war, weissagte er. Denn Jesus sollte sterben für das Volk, 52 und nicht für das Volk allein, sondern daß er die Kinder Gottes, die zerstreuet waren, zusammenbrächte. 53 Von dem Tage an ratschlagten sie, wie sie ihn töteten. 54 Jesus aber wandelte nicht mehr frei unter den Juden, sondern ging von dannen in eine Gegend nahe bei der Wüste in eine Stadt, genannt Ephrem, und hatte sein Wesen daselbst mit seinen Jüngern. 55 Es war aber nahe das Ostern der Juden; und es gingen viele hinauf gen Jerusalem aus der Gegend vor Ostern daß sie sich reinigten.

46 Avvah dayl sinn zu di Pharisayah ganga, un henn eena ksawt vass Jesus gedu katt hott. 47 No henn di hohchen-preeshtah un di Pharisayah iahra Council fasammeld un henn ksawt, "Vass kenna miah du? Deah mann dutt feel zaycha. 48 Vann miah een deahra vayk on gay lossa, dutt glei alli-ebbah an een glawva, un di Raymah kumma un nemma unsah land un unsah leit vekk." 49 Avvah aynah funn eena, da Kaiphas, vo da hohchen-preeshtah voah fa sell yoah, hott ksawt zu eena, "Diah visset goah nix. 50 Diah fashtaynd nett es es bessah is fa eich, es ay mann shtaubt fa di leit. Leevah dess, es vi's gans land unnah gay." 51 Eah hott dess nett ksawt funn sich selvaht. Avvah veil eah da hohchen-preeshtah voah sell yoah, hott eah foahksawt es Jesus glei shtauva soll fa di Yudda, 52 un nett yusht fa di Yudda, avvah fa awl di kinnah Gottes zammah bringa vo ausnannah voahra, un fa si ay leit macha. 53 So, funn sellem dawk on henn si broviaht aus fikkahra vi si een umbringa kenda. 54 Fasell hott Jesus no nimmi lengah fanna rumm gay kenna unnich di Yudda, avvah eah is funn datt naus in en landshaft ganga nayksht an di vildahnis, in di shtatt Ephraim, un datt is eah geblivva mitt sei yingah. 55 Nau voah's zeit fa's Ohshtah-Fesht funn di Yudda, un feel leit sinn funn iahra nochbahshaft nuff an Jerusalem ganga eb's Ohshtah-Fesht fa sich reinicha.

46 But some of them went their ways to the Pharisees, and told them what things Jesus had done. **47** Then gathered the chief priests and the Pharisees a council, and said, What do we? for this man doeth many miracles. **48** If we let him thus alone, all *men* will believe on him: and the Romans shall come and take away both our place and nation. **49** And one of them, *named* Caiaphas, being the high priest that same year, said unto them, Ye know nothing at all, **50** Nor consider that it is expedient for us, that one man should die for the people, and that the whole nation perish not. **51** And this spake he not of himself: but being high priest that year, he prophesied that Jesus should die for that nation; **52** And not for that nation only, but that also he should gather together in one the children of God that were scattered abroad. **53** Then from that day forth they took counsel together for to put him to death. **54** Jesus therefore walked no more openly among the Jews; but went thence unto a country near to the wilderness, into a city called Ephraim, and there continued with his disciples. **55** And the Jews' passover was nigh at hand: and many went out of the country up to Jerusalem before the passover, to purify themselves.

11:44 Even in death, men cannot escape the far reaching hand of God. Lazarus had no choice but to obey the call of Christ (Luke 12:5). EM

11:44 Lazarus was raised from the dead, but he was still bound. This illustrates salvation. When we get born again, we are raised to new lives in Christ but may still be bound with some of the old habits and thoughts of our previous lives. We have to be set free from those old grave clothes through the truth of God's Word. JK

11:47-48 Don't you just love these religious leaders? It is obvious! They couldn't care less about God; they only cared about their man-made rules and pride. JK

11:50 How right he was. Jesus, one man, died for the sins of the world. That was a huge benefit for the world. EM

11:51 Through the ages, God has used all kinds of ways to get His message out. He has used donkeys, roosters, and even rocks. In this case, God used an unbelieving selfish high priest to proclaim truth about Jesus Christ. Consider also that God uses people like you and me. We just have to be available and willing. JK

11:52 Jesus died for everyone, even

56 Da stunden sie und fragten nach Jesu und redeten miteinander im Tempel: Was dünket euch, daß er nicht kommt auf das Fest? 57 Es hatten aber die Hohenpriester und Pharisäer lassen ein Gebot ausgehen, so jemand wüßte, wo er wäre, daß er's anzeigete, daß sie ihn griffen.

12:1 Sechs Tage vor Ostern kam Jesus gen Bethanien, da Lazarus war, der Verstorbene, welchen Jesus auferwecket hatte von den Toten. 2 Daselbst machten sie ihm ein Abendmahl, und Martha dienete; Lazarus aber war der einer, die mit ihm zu Tische saßen. 3 Da nahm Maria ein Pfund Salbe von ungefälschter, köstlicher Narde und salbete die Füße Jesu und trocknete mit ihrem Haar seine Füße. Das Haus aber ward voll vom Geruch der Salbe. 4 Da sprach seiner Jünger einer, Judas, Simons Sohn, Ischariot, der ihn hernach verriet: 5 Warum ist diese Salbe nicht verkauft um dreihundert Groschen und den Armen gegeben? 6 Das sagte er aber nicht, daß er nach den Armen fragte, sondern er war ein Dieb und hatte den Beutel und trug, was gegeben ward. 7 Da sprach Jesus: Laß sie mit Frieden! Solches hat sie behalten zum Tage meines Begräbnisses.

56 Si voahra am gukka fa Jesus, un vi si rumm kshtanna henn im tempel henn si ksawt zu nannah, "Vass denket diah? Denket diah eah kumd nett an's Ohshtah-Fesht?" 57 Nau di hohchen-preeshtah un di Pharisayah henn en gebott ausgevva katt, es vann ennich ebbah ausfind vo eah is, soll eah si vissa lossa, so es si een fesht nemma kenna.

12:1 Sex dawk eb's Ohshtah-Fesht is Jesus an Bethanien kumma vo da Lazarus voah, deah es eah uf gvekt hott funn di dohda. 2 Datt henn si en essa gmacht fa Jesus. Di Martha hott abgvoaht, avvah da Lazarus voah ayns funn selli vo am dish kokt hott mitt Jesus. 3 No hott di Maria en pund oahrich deiyah greidah-ayl gnumma un hott Jesus sei fees ksalbt mitt. No hott see sei fees ab gebutzt mitt iahra hoah. Es gans haus voah kfild mitt em gooda kshmakk funn demm greidah-ayl. 4 Avvah em Simon sei boo da Judas Ischariot, ayns funn di yingah, deah vo een shpaydah farohda hott, hott ksawt, 5 "Favass voah dess ayl nett fakawft un's geld zu di oahma gevva? Es voah baut zvay hunnaht dawlah veaht." 6 Avvah da Judas hott dess nett ksawt veil eah ebbes um di oahma gevva hott, avvah veil eah en deeb voah, un siddah es eah da geld-sakk kalda hott, hott eah als geld raus gnumma. 7 Jesus hott no ksawt, "Loss see gay, see hott dess kalda fa da dawk vann ich moll fagrawva va.

56 Then sought they for Jesus, and spake among themselves, as they stood in the temple, What think ye, that he will not come to the feast? **57** Now both the chief priests and the Pharisees had given a commandment, that, if any man knew where he were, he should shew *it*, that they might take him.

12:1 Then Jesus six days before the passover came to Bethany, where Lazarus was which had been dead, whom he raised from the dead. **2** There they made him a supper; and Martha served: but Lazarus was one of them that sat at the table with him. **3** Then took Mary a pound of ointment of spikenard, very costly, and anointed the feet of Jesus, and wiped his feet with her hair: and the house was filled with the odour of the ointment. **4** Then saith one of his disciples, Judas Iscariot, Simon's *son*, which should betray him, **5** Why was not this ointment sold for three hundred pence, and given to the poor? **6** This he said, not that he cared for the poor; but because he was a thief, and had the bag, and bare what was put therein. **7** Then said Jesus, Let her alone: against the day of my burying hath she kept this.

though we all look different. One denomination or nationality doesn't make us better than another. JZ

12:6 Notice that Judas was the one who carried the money bag. He was the treasurer for Jesus' ministry on earth. Judas was also a thief, which would eventually lead to more and bigger sins. JK

8 Denn Arme habt ihr allezeit bei euch; mich aber habt ihr nicht allezeit. 9 Da erfuhr viel Volks der Juden, daß er daselbst war, und kamen nicht um Jesu willen allein, sondern daß sie auch Lazarus sähen, welchen er von den Toten erweckt hatte. 10 Aber die Hohenpriester trachteten danach, daß sie auch Lazarus töteten. 11 Denn um seinetwillen gingen viel Juden hin und glaubten an Jesum. 12 Des andern Tages, viel Volks, das aufs Fest kommen war, da es hörete, daß Jesus kommt gen Jerusalem, 13 nahmen sie Palmenzweige und gingen hinaus ihm entgegen und schrieen: Hosianna! Gelobet sei, der da kommt in dem Namen des HERRN, ein König von Israel! 14 Jesus aber überkam ein Eselein und ritt darauf, wie denn geschrieben stehet: 15 Fürchte dich nicht, du Tochter Zion; siehe, dein König kommt reitend auf einem Eselsfüllen! 16 Solches aber verstunden seine Jünger zuvor nicht, sondern da Jesus verkläret ward, da dachten sie daran, daß solches war von ihm geschrieben, und sie solches ihm getan hatten. 17 Das Volk aber, das mit ihm war, da er Lazarus aus dem Grabe rief und von den Toten auferweckte, rühmete die Tat. 18 Darum ging ihm auch das Volk entgegen, da sie

8 Diah hend di oahma immah bei eich, avvah diah hend mich nett immah bei eich." 9 No vo awl di leit auskfunna henn es eah datt voah, sinn si kumma, nett yusht fa Jesus sayna, avvah aw fa da Lazarus sayna, deah vo eah uf gvekt katt hott funn di dohda. 10 No henn di hohchen-preeshtah ausgmacht si vella da Lazarus aw umbringa, 11 veil deich een, feel funn di Yudda datt vekk ganga sinn am glawva an Jesus. 12 Da neksht dawk henn feel leit es kumma sinn fa's Ohshtah-Fesht, auskfunna es Jesus am noch Jerusalem kumma is. 13 No henn si nesht funn palma-baym gnumma un sinn eem ingeyya ganga, un henn naus gegrisha, "Hosanna, ksaykend is deah vo kumd im nohma fumm Hah. Ksaykend is da Kaynich funn Israel." 14 Un Jesus hott en yungah donkey kfunna un hott sich uf een kokt, grawt vi's kshrivva is: 15 "Feich dich nett, dochtah funn Zion. Gukk, dei Kaynich kumd un hokt uf en donkey-hutsh." 16 Jesus sei yingah henn dess nett fashtanna seahsht, avvah noch demm es Jesus fakleaht voah, is es eena bei kfalla vass kshrivva voah veyyich eem, un es si dee sacha gedu henn zu eem. 17 Di leit es bei Jesus voahra vo eah da Lazarus aus em grawb groofa hott un uf gvekt hott funn di dohda, henn ohkalda zeiya veyyich demm. 18 Fasell sinn feel leit

8 For the poor always ye have with you; but me ye have not always. **9** Much people of the Jews therefore knew that he was there: and they came not for Jesus' sake only, but that they might see Lazarus also, whom he had raised from the dead. **10** But the chief priests consulted that they might put Lazarus also to death; **11** Because that by reason of him many of the Jews went away, and believed on Jesus. **12** On the next day much people that were come to the feast, when they heard that Jesus was coming to Jerusalem, **13** Took branches of palm trees, and went forth to meet him, and cried, Hosanna: Blessed *is* the King of Israel that cometh in the name of the Lord. **14** And Jesus, when he had found a young ass, sat thereon; as it is written, **15** Fear not, daughter of Sion: behold, thy King cometh, sitting on an ass's colt. **16** These things understood not his disciples at the first: but when Jesus was glorified, then remembered they that these things were written of him, and *that* they had done these things unto him. **17** The people therefore that was with him when he called Lazarus out of his grave, and raised him from the dead, bare record. **18** For this cause the people also

12:10 Why did they think this would even work? Jesus could easily just raise him up again like before. EM

12:14-15 Hundreds of years before this event ever took place, Zechariah the prophet had foretold this would happen. See Zechariah 9:9. What are some things the Bible says will happen during the end times? Can you think of at least two? JK

höreten, er hätte solches Zeichen getan. 19 Die Pharisäer aber sprachen untereinander: Ihr sehet, daß ihr nichts ausrichtet; siehe, alle Welt läuft ihm nach. 20 Es waren aber etliche Griechen unter denen, die hinaufkommen waren, daß sie anbeteten auf das Fest. 21 Die traten zu Philippus, der von Bethsaida aus Galiläa war, baten ihn und sprachen: HERR, wir wollten Jesum gerne sehen. 22 Philippus kommt und sagt's Andreas, und Philippus und Andreas sagten's weiter Jesu. 23 Jesus aber antwortete ihnen und sprach: Die Zeit ist kommen, daß des Menschen Sohn verkläret werde. 24 Wahrlich, wahrlich, ich sage euch: Es sei denn, daß das Weizenkorn in die Erde falle und ersterbe, so bleibt's alleine; wo es aber erstirbt, so bringt's viel Früchte. 25 Wer sein Leben liebhat, der wird's verlieren; und wer sein Leben auf dieser Welt hasset, der wird's erhalten zum ewigen Leben. 26 Wer mir dienen will, der folge mir nach; und wo ich bin, da soll mein Diener auch sein. Und wer mir dienen wird, den wird mein Vater ehren. 27 Jetzt ist meine Seele betrübet. Und was soll ich sagen? Vater, hilf mir aus dieser Stunde! Doch darum bin ich in diese Stunde kommen. 28 Vater, verkläre deinen Namen! Da kam eine Stimme vom Himmel: Ich hab' ihn verkläret und will ihn abermal verklären.

eem ingeyya ganga, veil si keaht katt henn veyyich demm zaycha. 19 Di Pharisayah henn no ksawt zu nannah, "Diah kennet sayna es diah nix du kennet. Gukket moll, di gans veld is am eem nohch gay." 20 Nau's voahra samm Greeyishi leit unnich selli vo nuff an's Ohshtah-Fesht ganga sinn fa Gott deena. 21 Dee sinn zumm Philippus funn Bethsaida in Galilaya kumma, un henn ksawt zu eem, "Miah dayda geahn Jesus sayna." 22 Da Philippus is ganga un hott's zumm Andreas ksawt, no is da Andreas un da Philippus ganga un henn Jesus dess ksawt. 23 Un Jesus hott eena ksawt, "Di shtund is do es da Mensha Sohn fakleaht vatt. 24 Voahlich, voahlich, ich sawk eich, unni es en vaytza kann in da grund fald un doht gayt, bleibt see yusht di aynsisht kann. Avvah vann see doht gayt, bringd see feel frucht foah. 25 Deah vo sei layva leeb hott, vatt's faliahra. Un deah vo sei layva hast in deahra veld, deah vatt's halda fa ayvich layva. 26 Deah vo mich deena vill, deah muss miah nohch kumma, un vo ich binn, datt soll deah sei es mich deend. Da Faddah dutt deah eahra vo mich deend. 27 Nau is mei sayl gedruvveld. Un vass soll ich sawwa, 'Faddah, hald mich funn dee shtund'? Nay, avvah fa dee uahsach binn ich an dee shtund kumma. 28 Faddah, fakleah dei nohma." No is en shtimm fumm Himmel kumma, "Ich habb en fakleaht, un ich vill en viddah fagleahra."

met him, for that they heard that he had done this miracle. **19** The Pharisees therefore said among themselves, Perceive ye how ye prevail nothing? behold, the world is gone after him. **20** And there were certain Greeks among them that came up to worship at the feast: **21** The same came therefore to Philip, which was of Bethsaida of Galilee, and desired him, saying, Sir, we would see Jesus. **22** Philip cometh and telleth Andrew: and again Andrew and Philip tell Jesus. **23** And Jesus answered them, saying, The hour is come, that the Son of man should be glorified. **24** Verily, verily, I say unto you, Except a corn of wheat fall into the ground and die, it abideth alone: but if it die, it bringeth forth much fruit. **25** He that loveth his life shall lose it; and he that hateth his life in this world shall keep it unto life eternal. **26** If any man serve me, let him follow me; and where I am, there shall also my servant be: if any man serve me, him will *my* Father honour. **27** Now is my soul troubled; and what shall I say? Father, save me from this hour: but for this cause came I unto this hour. **28** Father, glorify thy name. Then came there a voice from heaven, *saying*, I have both glorified *it*, and will glorify *it* again.

12:19 What did it look like when "the whole world" was gone after Jesus? JZ

12:24 Jesus was referring to His death. He was also referring to all who would benefit from His death. Because One died, millions will live. JK

12:25 It's easy to follow a person or a church, but very hard to follow the Lord. JZ

12:26 The Bible is what tells us what it means to follow Christ. Whatever men say, it has to be weighed against Scripture. Men change their minds, but the Bible remains the same. EM

12:27 Jesus Christ had one purpose when He came to planet earth and that was to die. Could the Father have saved Him from death? Yes! Would Jesus have backed out if He could have? No! JK

12:28 I think that would have been pretty scary to hear. EM

29 Da sprach das Volk, das dabeistund und zuhörete: Es donnerte! Die andern sprachen: Es redete ein Engel mit ihm. 30 Jesus antwortete und sprach: Diese Stimme ist nicht um meinetwillen geschehen, sondern um euretwillen. 31 Jetzt gehet das Gericht über die Welt; nun wird der Fürst dieser Welt ausgestoßen werden. 32 Und ich, wenn ich erhöhet werde von der Erde, so will ich sie alle zu mir ziehen. 33 Das sagte er aber, zu deuten, welches Todes er sterben würde. 34 Da antwortete ihm das Volk: Wir haben gehöret im Gesetz, daß Christus ewiglich bleibe; und wie sagst du denn, des Menschen Sohn muß erhöhet werden? Wer ist dieser Menschensohn? 35 Da sprach Jesus zu ihnen: Es ist das Licht noch eine kleine Zeit bei euch. Wandelt, dieweil ihr das Licht habt, daß euch die Finsternisse nicht überfallen. Wer in Finsternis wandelt, der weiß nicht, wo er hingehet. 36 Glaubet an das Licht, dieweil ihr's habt, auf daß ihr des Lichtes Kinder seid. 37 Solches redete Jesus und ging weg und verbarg sich vor ihnen. Und ob er wohl solche Zeichen vor ihnen tat, glaubten sie doch nicht an ihn, 38 auf daß erfüllet würde der Spruch des Propheten Jesaja, den er sagt: HERR, wer glaubet unserm Predigen, und wem ist der Arm des HERRN offenbaret?

29 Di leit vo dibei kshtanna henn, henn dess keaht un henn ksawt's hott gedimmeld. Anri henn ksawt, "En engel hott kshvetzt zu eem." 30 Jesus hott ksawt, "Dee shtimm is kumma fa eiyah sayk, nett fa meini. 31 Nau kumd's gericht uf di veld; nau vatt da ivvah-saynah funn dee veld naus kshtohsa; 32 un ich, vann ich uf kohva va funn di eaht, zeek ich alli leit zu miah." 33 Eah hott dess ksawt fa veisa vass fa doht es eah shtauva muss. 34 Di leit henn no ksawt, "Miah henn keaht deich's Ksetz es Christus bleibt fa immah. Vo heah sawksht du es da Mensha Sohn muss uf kohva vadda? Veah is deah Mensha Sohn?" 35 Jesus hott ksawt zu eena, "Es licht is bei eich fa noch en glenni zeit. Lawfet diveil es diah's licht hend, adda's dunkla kumd ivvah eich. Deah vo im dunkla lawft vayst nett vo eah hee gayt. 36 Glawvet an's licht diveil es es licht bei eich is, so es diah kinnah fumm licht sind." Vo Jesus dess ksawt katt hott is eah vekk ganga, un hott sich nimmi gvissa zu eena. 37 Even mitt awl di zaycha es eah gedu katt hott fannich eena henn si alsnoch nett an een geglawbt. 38 Dess voah so es em brofayt Jesaia sei vadda voah kumma sedda vo eah ksawt hott, "Hah, veah hott geglawbt vass miah breddicha, un zu vemm voah's gevva fa em Hah sei macht fashtay?"

29 The people therefore, that stood by, and heard *it*, said that it thundered: others said, An angel spake to him. **30** Jesus answered and said, This voice came not because of me, but for your sakes. **31** Now is the judgment of this world: now shall the prince of this world be cast out. **32** And I, if I be lifted up from the earth, will draw all *men* unto me. **33** This he said, signifying what death he should die. **34** The people answered him, We have heard out of the law that Christ abideth for ever: and how sayest thou, The Son of man must be lifted up? who is this Son of man? **35** Then Jesus said unto them, Yet a little while is the light with you. Walk while ye have the light, lest darkness come upon you: for he that walketh in darkness knoweth not whither he goeth. **36** While ye have light, believe in the light, that ye may be the children of light. These things spake Jesus, and departed, and did hide himself from them. **37** But though he had done so many miracles before them, yet they believed not on him: **38** That the saying of Esaias the prophet might be fulfilled, which he spake, Lord, who hath believed our report? and to whom hath the arm of the Lord been revealed?

39 Darum konnten sie nicht glauben; denn Jesaja sagt abermal: 40 Er hat ihre Augen verblendet und ihr Herz verstocket, daß sie mit den Augen nicht sehen, noch mit dem Herzen vernehmen und sich bekehren, und ich ihnen hülfe. 41 Solches sagte Jesaja, da er seine HERRLIchkeit sah und redete von ihm. 42 Doch der Obersten glaubten viel an ihn; aber um der Pharisäer willen bekannten sie es nicht, daß sie nicht in den Bann getan würden; 43 denn sie hatten lieber die Ehre bei den Menschen denn die Ehre bei Gott. 44 Jesus aber rief und sprach: Wer an mich glaubet, der glaubet nicht an mich, sondern an den, der mich gesandt hat. 45 Und wer mich siehet, der siehet den, der mich gesandt hat. 46 Ich bin kommen in die Welt ein Licht, auf daß, wer an mich glaubet, nicht in Finsternis bleibe. 47 Und wer meine Worte höret und glaubet nicht, den werde ich nicht richten; denn ich bin nicht kommen; daß ich die Welt richte, sondern daß ich die Welt selig mache. 48 Wer mich verachtet und nimmt meine Worte nicht auf, der hat schon, der ihn richtet: das Wort, welches ich geredet habe, das wird ihn richten am Jüngsten Tage. 49 Denn ich habe nicht von mir selber geredet, sondern der Vater, der mich gesandt hat,

39 Fasell henn si nett glawva kenna, veil da Jesaia an en anra blatz ksawt hott, 40 "Eah hott iahra awwa blind gmachtun iahra hatza hatt gmacht, so es si nett sayna kenna mitt iahra awwa adda fashtay kenna mitt iahra hatza, un zu miah drayya es ich si hayl." 41 Da Jesaia hott dess ksawt veil eah Jesus sei hallichkeit ksenna hott, un hott no kshvetzt funn eem. 42 Avvah an selli zeit henn feel leit, even funn di ivvah-saynah geglawbt an een, avvah veil si sich kfeicht henn veyyich di Pharisayah henn si nimmand's ksawt. Si henn's nett ksawt veil si kfeicht henn si vadda ab funn di Yudda-gmay gedu. 43 Si henn leevah di eah funn leit es di eah funn Gott katt. 44 Jesus hott no naus groofa un hott ksawt, "Deah vo an mich glawbt, glawbt nett an mich avvah an deah vo mich kshikt hott. 45 Un veah mich saynd, saynd da vann vo mich kshikt hott. 46 Ich binn in di veld kumma es en licht, so es awl dee vo an mich glawva, nimmi im dunkla bleiva braucha. 47 Vann ennich ebbah mei vadda heaht, avvah eah glawbt nett, een doon ich nett richta. Ich binn nett kumma fa di veld richta avvah fa see saylich macha. 48 Deah vo mich nunnah drayt un mei vadda nett ohnemd, hott shund en richtah; es vatt vo ich gebreddicht habb is sei richtah am letshta dawk. 49 Fa ich habb nett kshvetzt funn miah selvaht. Da Faddah vo mich kshikt hott, eah selvaht hott miah's

39 Therefore they could not believe, because that Esaias said again, **40** He hath blinded their eyes, and hardened their heart; that they should not see with *their* eyes, nor understand with *their* heart, and be converted, and I should heal them. **41** These things said Esaias, when he saw his glory, and spake of him. **42** Nevertheless among the chief rulers also many believed on him; but because of the Pharisees they did not confess *him*, lest they should be put out of the synagogue: **43** For they loved the praise of men more than the praise of God. **44** Jesus cried and said, He that believeth on me, believeth not on me, but on him that sent me. **45** And he that seeth me seeth him that sent me. **46** I am come a light into the world, that whosoever believeth on me should not abide in darkness. **47** And if any man hear my words, and believe not, I judge him not: for I came not to judge the world, but to save the world. **48** He that rejecteth me, and receiveth not my words, hath one that judgeth him: the word that I have spoken, the same shall judge him in the last day. **49** For I have not spoken of myself; but the Father which sent me, he gave me a commandment, what I should

12:40 Of all the people groups in the world at that time, the Jews, God's people, should have known Jesus. John 1:11 says, "He came unto His own, and His own received Him not." Is it any wonder that God blinded their eyes and hardened their hearts? JK

12:42 Fear is a very powerful thing. They understood the high cost of believing in Christ but were unwilling to commit to it to their peril. Only God knows if they remained in this state. EM

12:43 Our "praise from God" won't truly be ours until we meet Him in heaven. We have to have a vision for eternity in order to live for the praise of God more than men. JZ

12:48 Who will judge you in the last day? The very word you hold in your hands will judge you. Read it. Understand it. Follow it. My friend, the day is coming when each one of us will stand before Almighty God, without excuse. JK

der hat mir ein Gebot gegeben, was ich tun und reden soll. 50 Und ich weiß, daß sein Gebot ist das ewige Leben. Darum, was ich rede, das rede ich also, wie mir der Vater gegeben hat.

13:1 Vor dem Fest aber der Ostern, da Jesus erkennete, daß seine Zeit kommen war, daß er aus dieser Welt ginge zum Vater: wie er hatte geliebet die Seinen, die in der Welt waren, so liebte er sie bis ans Ende. 2 Und nach dem Abendessen, da schon der Teufel hatte dem Judas, Simons Sohn, dem Ischariot, ins Herz gegeben, daß er ihn verriete, 3 wußte Jesus, daß ihm der Vater hatte alles in seine Hände gegeben, und daß er von Gott kommen war und zu Gott ging: 4 stund er vom Abendmahl auf, legte seine Kleider ab und nahm einen Schurz und umgürtete sich. 5 Danach goß er Wasser in ein Becken, hub an, den Jüngern die Füße zu waschen, und trocknete sie mit dem Schurz, damit er umgürtet war. 6 Da kam er zu Simon Petrus; und derselbige sprach zu ihm: HERR, solltest du mir meine Füße waschen? 7 Jesus antwortete und sprach zu ihm: Was ich tue, das weißt du jetzt nicht; du wirst's aber hernach erfahren. 8 Da sprach Petrus zu ihm: Nimmermehr sollst du mir die Füße waschen.

gebott gevva vass zu sawwa un vass zu shvetza. 50 Un ich vays es sei gebott ayvich layva is. So vass ich sawk is yusht vass da Faddah miah ksawt hott."

13:1 Es voah yusht eb's Ohshtah-Fesht. Jesus hott gvist es di zeit kumma voah es eah di veld falossa soll un zumm Faddah gay. Un vi eah dee gleebt hott vo sei voahra in di veld, so hott eah si gleebt biss an's end. 2 Si voahra am's ohvet-essa essa, un da Deivel hott's shund im Judas Ischariot sei hatz nei gedu fa Jesus farohda. Da Judas Ischariot voah em Simon sei boo. 3 Jesus hott gvist es da Faddah alli sacha in sei hend gevva hott, un es eah funn Gott kumma voah un es eah viddah zu eem gayt. 4 Eah is no ufkshtanna fumm dish, hott sei ausahri glaydah nayva anna glaykt, un hott en hand-lumba um sich rumm gvikkeld. 5 No hott eah vassah in en vesh-shissel gleaht un hott ohkfanga di yingah iahra fees vesha. No hott eah si ab gebutzt mitt em hand-lumba vo eah um sich rumm katt hott. 6 No vo eah zumm Simon Petrus kumma is, hott da Petrus ksawt zu eem, "Hah, zaylsht du mei fees vesha?" 7 Jesus hott eem ksawt, "Du vaysht nett vass ich am du binn nau, avvah shpaydah zaylsht du's fashtay." 8 Da Petrus hott no ksawt, "Du zaylsht selayva nett

say, and what I should speak. **50** And I know that his commandment is life everlasting: whatsoever I speak therefore, even as the Father said unto me, so I speak.

13:1 Now before the feast of the passover, when Jesus knew that his hour was come that he should depart out of this world unto the Father, having loved his own which were in the world, he loved them unto the end. **2** And supper being ended, the devil having now put into the heart of Judas Iscariot, Simon's *son*, to betray him; **3** Jesus knowing that the Father had given all things into his hands, and that he was come from God, and went to God; **4** He riseth from supper, and laid aside his garments; and took a towel, and girded himself. **5** After that he poureth water into a bason, and began to wash the disciples' feet, and to wipe *them* with the towel wherewith he was girded. **6** Then cometh he to Simon Peter: and Peter saith unto him, Lord, dost thou wash my feet? **7** Jesus answered and said unto him, What I do thou knowest not now; but thou shalt know hereafter. **8** Peter saith unto him, Thou shalt never wash my feet. Jesus answered him, If

13:1 Jesus walked out of eternity, walked into time, and now is ready to walk back into eternity. I'm trying to wrap my mind around that and can't. JK

13:3 There is a sense of peace here. Jesus knows that everything is now ready to go for His crucifixion. It is almost finished. EM

13:5 To serve others genuinely means we'll be kind even to our enemies. Jesus even washed Judas' feet. JZ

Jesus antwortete ihm: Werde ich dich nicht waschen, so hast du kein Teil mit mir. 9 Spricht zu ihm Simon Petrus: HERR, nicht die Füße alleine, sondern auch die Hände und das Haupt. 10 Spricht Jesus zu ihm: Wer gewaschen ist, der bedarf nicht denn die Füße waschen, sondern er ist ganz rein. Und ihr seid rein, aber nicht alle. 11 Denn er wußte seinen Verräter wohl; darum sprach er: Ihr seid nicht alle rein. 12 Da er nun ihre Füße gewaschen hatte, nahm er seine Kleider und setzte sich wieder nieder und sprach abermal zu ihnen: Wisset ihr, was ich euch getan habe? 13 Ihr heißet mich Meister und HERR und saget recht daran; denn ich bin's auch. 14 So nun ich, euer HERR und Meister, euch die Füße gewaschen habe, so sollt ihr auch euch untereinander die Füße waschen. 15 Ein Beispiel habe ich euch gegeben, daß ihr tut, wie ich euch getan habe. 16 Wahrlich, wahrlich, ich sage euch, der Knecht ist nicht größer denn sein HERR noch der Apostel größer, denn der ihn gesandt hat. 17 So ihr solches wisset, selig seid ihr, so ihr's tut. 18 Nicht sage ich von euch allen, (ich weiß, welche ich erwählet habe), sondern daß die Schrift erfüllet werde: Der mein Brot isset, der tritt mich mit Füßen.

mei fees vesha." Jesus hott eem ksawt, "Vann ich dich nett vesh, hosht du kenn dayl mitt miah." 9 No hott da Simon Petrus ksawt zu eem, "Hah, nett yusht mei fees, avvah mei hend un mei kobb aw." 10 Jesus hott ksawt zu eem, "Deah vo gvesha is brauch yusht sei fees gvesha havva fa gans sauvah sei. Un diah sind sauvah, avvah nett awl funn eich." 11 Eah hott gvist veah een farohda zayld. Fasell hott eah ksawt, "Diah sind nett awl sauvah." 12 Vo eah iahra fees gvesha katt hott, sei glaydah ohgedu katt hott, un sich viddah an sei blatz kokt katt hott, hott eah ksawt zu eena, "Visset diah vass ich gedu habb zu eich? 13 Diah hayset mich Meishtah, un Hah, un sell is recht, veil sell is vass ich binn. 1 4 Vann ich, eiyah Hah un Meishtah, eich di fees gvesha habb, dann seddet diah aw nannah di fees vesha. 15 Ich binn eich dee sach foah-ganga, un diah seddet aw du vi ich gedu habb zu eich. 16 Voahlich, voahlich, ich sawk eich, en gnecht is nett graysah es sei meishtah. Un deah vo kshikt vatt, is aw nett graysah es deah vo een kshikt hott. 17 Vann diah dee sacha visset, sind diah ksaykend vann diah si aw doond. 18 Ich binn nett am shvetza veyyich awl funn eich. Ich vays veah ich raus groofa habb. Avvah dee Shrift muss folfild vadda, 'Deah vo mei broht est, deah drett uf mich mitt sei fees.'

I wash thee not, thou hast no part with me. **9** Simon Peter saith unto him, Lord, not my feet only, but also *my* hands and *my* head. **10** Jesus saith to him, He that is washed needeth not save to wash *his* feet, but is clean every whit: and ye are clean, but not all. **11** For he knew who should betray him; therefore said he, Ye are not all clean. **12** So after he had washed their feet, and had taken his garments, and was set down again, he said unto them, Know ye what I have done to you? **13** Ye call me Master and Lord: and ye say well; for *so* I am. **14** If I then, *your* Lord and Master, have washed your feet; ye also ought to wash one another's feet. **15** For I have given you an example, that ye should do as I have done to you. **16** Verily, verily, I say unto you, The servant is not greater than his lord; neither he that is sent greater than he that sent him. **17** If ye know these things, happy are ye if ye do them. **18** I speak not of you all: I know whom I have chosen: but that the scripture may be fulfilled, He that eateth bread with me hath lifted up his heel against me.

13:10 Have you been washed? It won't do any good to wash your feet if your body is unclean. Just like asking Jesus to forgive you for your individual sins will not do you any good if you are still an unforgiven sinner. EM

13:14 Have you ever noticed how godly leadership is the exact opposite of worldly leadership? Worldly leadership says employees should (serve) wash the bosses' feet. Godly leadership says if you want to lead and be master of others, learn how to wash the feet of your followers. JK

19 Jetzt sage ich's euch, ehe denn es geschiehet, auf daß, wenn es geschehen ist, daß ihr glaubet, daß ich's bin. 20 Wahrlich, wahrlich, ich sage euch: Wer aufnimmt, so ich jemand senden werde, der nimmt mich auf; wer aber mich aufnimmt, der nimmt den auf, der mich gesandt hat. 21 Da solches Jesus gesagt hatte, ward er betrübt im Geist und zeugete und sprach: Wahrlich, wahrlich, ich sage euch, einer unter euch wird mich verraten. 22 Da sahen sich die Jünger untereinander an, und ward ihnen bange, von welchem er redete. 23 Es war aber einer unter seinen Jüngern, der zu Tische saß an der Brust Jesu, welchen Jesus liebhatte. 24 Dem winkete Simon Petrus, daß er forschen sollte, wer es wäre, von dem er sagte. 25 Denn derselbige lag an der Brust Jesu und sprach zu ihm: HERR, wer ist's? 26 Jesus antwortete: Der ist's, dem ich den Bissen eintauche und gebe. Und er tauchte den Bissen ein und gab ihn Judas, Simons Sohn, dem Ischariot. 27 Und nach dem Bissen fuhr der Satan in ihn. Da sprach Jesus zu ihm: Was du tust, das tue bald. 28 Dasselbige aber wußte niemand über dem Tische, wozu er's ihm sagte. 29 Etliche meineten, dieweil Judas den Beutel hatte, Jesus spräche zu ihm: Kaufe, was uns not ist auf das Fest;

19 Ich sawk eich dess nau eb's blatz nemd, no vann's moll blatz nemma dutt doond diah glawva es ich een binn. 20 Voahlich, voahlich, ich sawk eich, deah vo ebbah ohnemd es ich shikk, nemd mich oh, un deah vo mich ohnemd, nemd deah oh es mich kshikt hott." 21 Vo Jesus dess ksawt katt hott, voah eah gedruvveld in seim geisht un hott gezeikt, "Voahlich, voahlich, ich sawk eich, ayns funn eich zayld mich farohda." 22 No henn di yingah nannah ohgegukt, un henn gvunnaht veyyich vemm es eah am shvetza voah. 23 Ayns funn di yingah, deah vo Jesus leeb katt hott, voah am sich veddah sei brusht lossa. 24 Da Simon Petrus hott no gmohshend zu eem un hott ksawt, "Frohk een vellah funn uns es eah maynd." 25 Eah hott sich no zrikk glost veddah Jesus un hott een kfrohkt, "Hah, vellah is es?" 26 Jesus hott ksawt, "Es is sellah vo ich deah brokka gebb ditzu, vann ich en moll nei gedunkt habb." No hott eah en nei gedunkt un hott en zumm Judas Ischariot, em Simon sei boo, gevva. 27 Un noch demm brokka is da Satan in een nei ganga. Jesus hott ksawt zu eem, "Vass du dusht, du kshvind." 28 Nau nimmand am dish hott gvist favass es eah dess ksawt hott zu eem. 29 Dayl henn gmaynd veil da Judas da geld-sakk gedrawwa hott, veah eah am eem sawwa, "Gay un kawf vass miah braucha fa's Ohshtah-Fesht," adda

19 Now I tell you before it come, that, when it is come to pass, ye may believe that I am *he*. **20** Verily, verily, I say unto you, He that receiveth whomsoever I send receiveth me; and he that receiveth me receiveth him that sent me. **21** When Jesus had thus said, he was troubled in spirit, and testified, and said, Verily, verily, I say unto you, that one of you shall betray me. **22** Then the disciples looked one on another, doubting of whom he spake. **23** Now there was leaning on Jesus' bosom one of his disciples, whom Jesus loved. **24** Simon Peter therefore beckoned to him, that he should ask who it should be of whom he spake. **25** He then lying on Jesus' breast saith unto him, Lord, who is it? **26** Jesus answered, He it is, to whom I shall give a sop, when I have dipped *it*. And when he had dipped the sop, he gave *it* to Judas Iscariot, *the son* of Simon. **27** And after the sop Satan entered into him. Then said Jesus unto him, That thou doest, do quickly. **28** Now no man at the table knew for what intent he spake this unto him. **29** For some *of them* thought, because Judas had the bag, that Jesus had said unto him, Buy *those things* that we have need of against the feast; or,

13:23 What would it be like to be so close to Jesus that you'd be comfortable leaning on him? Jesus wants a holy, intimate relationship with us. JZ

13:26 Jesus knew exactly who it was that would betray Him. He was not surprised at all by what Judas was planning. Jesus knows what is in our hearts even if no one else does. EM

oder daß er den Armen etwas gäbe. 30 Da er nun den Bissen genommen hatte, ging er sobald hinaus. Und es war Nacht. 31 Da er aber hinausgegangen war, spricht Jesus: Nun ist des Menschen Sohn verkläret, und Gott ist verkläret in ihm. 32 Ist Gott verkläret in ihm, wird ihn auch Gott verklären in ihm selbst und wird ihn bald verklären. 33 Liebe Kindlein, ich bin noch eine kleine Weile bei euch. Ihr werdet mich suchen; und wie ich zu den Juden sagte: Wo ich hingehe; da könnt ihr nicht hinkommen. 34 Und ich sage euch nun: Ein neu Gebot gebe ich euch, daß ihr euch untereinander liebet, wie ich euch geliebet habe, auf daß auch ihr einander lieb habet. 35 Dabei wird jedermann erkennen, daß ihr meine Jünger seid, so ihr Liebe untereinander habt. 36 Spricht Simon Petrus zu ihm: HERR, wo gehest du hin? Jesus antwortete ihm: Da ich hingehe, kannst du mir diesmal nicht folgen; aber du wirst mir hernachmals folgen. 37 Petrus spricht zu ihm: HERR, warum kann ich dir diesmal nicht folgen? Ich will mein Leben für dich lassen. 38 Jesus antwortete ihm: Solltest du dein Leben für mich lassen? Wahrlich, wahrlich, ich sage dir, der Hahn wird nicht krähen, bis du mich dreimal habest verleugnet!

eah hott fleicht ebbes gevva sella zu di oahma. 30 No noch demm es eah da brokka gnumma katt hott, is eah grawt naus ganga. Un's voah nacht. 31 Vo eah moll draus voah, hott Jesus ksawt, "Nau is da Mensha Sohn fakleaht, un deich een is Gott fakleaht. 32 Vann Gott fakleaht is in eem, dann dutt Gott da Sohn aw fagleahra in sich selvaht, un eah zayld een grawt fagleahra. 33 Leevi kinnah, ich binn noch bei eich fa en katzi zeit. Diah zaylet mich sucha, un vi ich ksawt habb zu di Yudda, so sawk ich nau zu eich, 'Vo ich hee gay kennet diah nett anna kumma.' 34 Ich gebb eich en nei gebott: diah misset nannah leeva. Vi ich eich gleebt habb, so sellet diah nannah leeva. 35 Alli-ebbah vayst es diah mei yingah sind vann diah nannah leevet." 36 Da Simon Petrus hott no ksawt zu eem, "Hah, vo gaysht du anna?" Jesus hott ksawt zu eem, "Vo ich anna gay kansht du nett nohch kumma nau, avvah du zaylsht shpaydah nohch kumma." 37 Da Petrus hott zu eem ksawt, "Hah, favass kann ich diah nett nohch kumma nau? Ich gebb mei layva fa dich." 38 Jesus hott ksawt zu eem, "Vitt du dei layva gevva fa mich? Voahlich, voahlich, ich sawk diah, da hohna dutt nett grayya biss du mich drei moll falaykeld hosht."

that he should give something to the poor. **30** He then having received the sop went immediately out: and it was night. **31** Therefore, when he was gone out, Jesus said, Now is the Son of man glorified, and God is glorified in him. **32** If God be glorified in him, God shall also glorify him in himself, and shall straightway glorify him. **33** Little children, yet a little while I am with you. Ye shall seek me: and as I said unto the Jews, Whither I go, ye cannot come; so now I say to you. **34** A new commandment I give unto you, That ye love one another; as I have loved you, that ye also love one another. **35** By this shall all *men* know that ye are my disciples, if ye have love one to another. **36** Simon Peter said unto him, Lord, whither goest thou? Jesus answered him, Whither I go, thou canst not follow me now; but thou shalt follow me afterwards. **37** Peter said unto him, Lord, why cannot I follow thee now? I will lay down my life for thy sake. **38** Jesus answered him, Wilt thou lay down thy life for my sake? Verily, verily, I say unto thee, The cock shall not crow, till thou hast denied me thrice.

13:30 A short time later, Judas would hang from a tree limb and die. Sin will take you further than you want to go, keep you longer than you want to stay, and charge you more than you want to pay. JK

13:34 No law or ritual can make us love others. JZ

13:35 It's not our morals, our holiness, our separateness, or our condemnation of sin that identifies us as Christians. It's our love for each other that will cause the world to take notice that we are Christians. JK

13:37 Peter needed to understand that it was for his sake that Christ was laying down His life. EM

13:38 Jesus predicted that Judas would betray Him, but then He predicted that Peter would deny Him. Why then do we think we can hide from God? JK

14:1 Und er sprach zu seinen Jüngern: Euer Herz erschrecke nicht! Glaubet ihr an Gott, so glaubet ihr auch an mich. 2 In meines Vaters Hause sind viel Wohnungen. Wenn's nicht so wäre, so wollt' ich zu euch sagen; ich gehe hin euch die Stätte zu bereiten. 3 Und ob ich hinginge, euch die Stätte zu bereiten, will ich doch wiederkommen und euch zu mir nehmen, auf daß ihr seid, wo ich bin. 4 Und wo ich hingehe, das wisset ihr, und den Weg wisset ihr auch. 5 Spricht zu ihm Thomas: HERR, wir wissen nicht, wo du hingehest; und wie können wir den Weg wissen? 6 Jesus spricht zu ihm: Ich bin der Weg und die Wahrheit und das Leben; niemand kommt zum Vater denn durch mich 7 Wenn ihr mich kennetet, so kennetet ihr auch meinen Vater. Und von nun an kennet ihr ihn und habt ihn gesehen. 8 Spricht zu ihm Philippus: HERR, zeige uns den Vater, so genüget uns. 9 Jesus spricht zu ihm: So lange bin ich bei euch und du kennest mich nicht? Philippus, wer mich siehet, der siehet den Vater. Wie sprichst du denn: Zeige uns en Vater? 10 Glaubest du nicht, daß ich im Vater und der Vater in mir ist? Die Worte, die zu euch rede, die rede ich nicht von mir selbst. Der Vater aber, der in mir wohnet, derselbige tut die Werke. 11 Glaubet mir, daß ich im Vater und der Vater in mir ist; wo nicht,

14:1 "Losset eiyah hatza nett gedruvveld sei; glawvet an Gott un glawvet aw an mich. 2 In mei Faddah sei haus sinn feel shtubba. Vann's nett so veah, hett ich eich's ksawt. Ich gay un risht en blatz fa eich. 3 Un vann ich gay un en blatz risht fa eich, dann kumm ich viddah zrikk un nemm eich zu miah, so es vo ich binn datt zaylet diah aw sei. 4 Un diah visset da vayk un vo ich am hee gay binn." 5 Da Thomas hott ksawt zu eem, "Hah, miah vissa nett vo du hee gaysht; vi kenna miah da vayk vissa?" 6 Jesus hott ksawt zu eem, "Ich binn da vayk, di voahheit, un's layva; nimmand kumd zumm Faddah unni deich mich. 7 Vann diah mich gekend heddet, heddet diah da Faddah aw gekend. Funn nau on doond diah een kenna, un diah hend een ksenna." 8 Da Philippus hott no ksawt zu eem, "Hah, veis uns da Faddah, no sinn miah zufridda." 9 Jesus hott ksawt zu eem, "Voah ich so lang bei eich un diah doond mich alsnoch nett kenna, Philippus? Deah vo mich ksenna hott, hott da Faddah ksenna; favass sawksht du, 'Veis uns da Faddah'? 10 Doond diah nett glawva es ich im Faddah binn un es da Faddah in miah is? Di vadda vo ich sawk sinn nett funn miah selvaht, avvah da Faddah vo in miah voond dutt dee sacha. 11 Glawvet miah es ich im Faddah binn un es da Faddah in

14:1 Let not your heart be troubled: ye believe in God, believe also in me. **2** In my Father's house are many mansions: if *it were* not *so*, I would have told you. I go to prepare a place for you. **3** And if I go and prepare a place for you, I will come again, and receive you unto myself; that where I am, *there* ye may be also. **4** And whither I go ye know, and the way ye know. **5** Thomas saith unto him, Lord, we know not whither thou goest; and how can we know the way? **6** Jesus saith unto him, I am the way, the truth, and the life: no man cometh unto the Father, but by me. **7** If ye had known me, ye should have known my Father also: and from henceforth ye know him, and have seen him. **8** Philip saith unto him, Lord, shew us the Father, and it sufficeth us. **9** Jesus saith unto him, Have I been so long time with you, and yet hast thou not known me, Philip? he that hath seen me hath seen the Father; and how sayest thou *then*, Shew us the Father? **10** Believest thou not that I am in the Father, and the Father in me? the words that I speak unto you I speak not of myself: but the Father that dwelleth in me, he doeth the works. **11** Believe me that I *am* in the Father, and the

14:1 The world of the apostles was turning upside down and inside out. Judas had just betrayed Jesus. Peter denied Him. And then Jesus said He would be leaving them shortly. That's when Jesus comes along and says, "Let not your heart be troubled." What do you think He would say to you right now? JK

14:3 If you are reading this and know in your heart that you have been born again, you can rest assured of two things. (1) Jesus is preparing a place for you. (2) Jesus is coming back to get you. JK

14:6 Jesus is the way to heaven, the bridge that all men must cross to be with God, because He is the truth in that He reveals to us the truth of God, and He is the One through whom eternal life might be gotten. We are totally dependent on Christ and Christ alone for our salvation. EM

14:9 Scriptures say we lack only because we ask not. Have you prayed for understanding and belief? That's what Philip needed, and we do too. JZ

14:10 The Father in Jesus, Jesus in

so glaubet mir doch um der Werke willen. 12 Wahrlich, wahrlich, ich sage euch: Wer an mich glaubet, der wird die Werke auch tun, die ich tue, und wird größere denn diese tun; denn ich gehe zum Vater 13 Und was ihr bitten werdet in meinem Namen, das will ich tun, auf daß der Vater geehret werde in dem Sohne 14 Was ihr bitten werdet in meinem Namen das will ich tun. 15 Liebet ihr mich, so haltet meine Gebote. 16 Und ich will den Vater bitten, und er soll euch einen andern Tröster geben, daß er bei euch bleibe ewiglich, 17 den Geist der Wahrheit, welchen die Welt nicht kann empfangen; denn sie siehet ihn nicht und kennet ihn nicht. Ihr aber kennet ihn; denn er bleibet bei euch und wird in euch sein. 18 Ich will euch nicht Waisen lassen; ich komme zu euch. 19 Es ist noch um ein kleines, so wird mich die Welt nicht mehr sehen; ihr aber sollt mich sehen: denn ich lebe, und ihr sollt auch leben. 20 An demselbigen Tage werdet ihr erkennen, daß ich in meinem Vater bin und ihr in mir und ich in euch. 21 Wer meine Gebote hat und hält sie, der ist's, der mich liebet. Wer mich aber liebet, der wird von meinem Vater geliebet werden, und ich werde ihn lieben und mich ihm offenbaren. 22 Spricht zu ihm Judas, nicht der Ischariot: HERR, was ist's, daß du uns willst dich offenbaren und nicht der Welt?

miah is. Adda dann glawvet veil diah di sacha ksenna hend vass ich gedu habb. 12 Voahlich, voahlich, ich sawk eich, deah vo an mich glawbt dutt aw di sacha es ich du; un eah zayld graysahri sacha du es dee, veil ich zumm Faddah gay. 13 Vass-evvah es diah frohwet in meim nohma, dess doon ich, so es da Faddah di eah grikt deich da Sohn. 14 Vann diah ennich ebbes frohwet in meim nohma dann doon ich's." 15 "Vann diah mich leeb hend, haldet mei gebodda. 16 Un ich bayt da Faddah, un eah gebt eich en anrah Drayshtah es immah bei eich is. 17 Dess is da Geisht funn di voahheit, sellah vo di veld nett ohnemma kann, veil see een nett sayna kann un een nett kenna kann. Diah kennet een, veil eah bei eich voond, un in eich sei zayld. 18 Ich loss eich nett es vi kinnah unni eldra; ich kumm zu eich. 19 Noch en katzi zeit, no saynd di veld mich nimmi. Avvah diah saynet mich; veil ich layb, dann zaylet diah aw layva. 20 An sellem dawk visset diah es ich in meim Faddah binn, un diah in miah, un ich in eich. 21 Deah vo mei gebodda hott, un si hald, deah dutt mich leeva. Un mei Faddah dutt deah leeva vo mich leebt, un ich du een leeva un du mich veisa zu eem." 22 Da Judas (nett Ischariot) hott ksawt zu eem, "Hah, vi is es, es du dich veisa dusht zu uns avvah nett zu di veld?"

Father in me: or else believe me for the very works' sake. **12** Verily, verily, I say unto you, He that believeth on me, the works that I do shall he do also; and greater *works* than these shall he do; because I go unto my Father. **13** And whatsoever ye shall ask in my name, that will I do, that the Father may be glorified in the Son. **14** If ye shall ask any thing in my name, I will do *it*. **15** If ye love me, keep my commandments. **16** And I will pray the Father, and he shall give you another Comforter, that he may abide with you for ever; **17** *Even* the Spirit of truth; whom the world cannot receive, because it seeth him not, neither knoweth him: but ye know him; for he dwelleth with you, and shall be in you. **18** I will not leave you comfortless: I will come to you. **19** Yet a little while, and the world seeth me no more; but ye see me: because I live, ye shall live also. **20** At that day ye shall know that I *am* in my Father, and ye in me, and I in you. **21** He that hath my commandments, and keepeth them, he it is that loveth me: and he that loveth me shall be loved of my Father, and I will love him, and will manifest myself to him. **22** Judas saith unto him, not Iscariot, Lord, how is it that thou wilt manifest thyself unto us, and not unto the world?

the Father. Other Scriptures say the Spirit in us, us in Jesus – Wow! I sense this big circle of heaven and earth intertwined and working together. We are never alone! We are all one big family, working and living together forever. JK

14:15 When we say we're saved by grace, we may be accused of saying we can do anything and still be saved. But Jesus says, "If you love me, keep my commandments." JZ

14:17 It is impossible for the world to know or even understand the Spirit of truth. They cannot receive Him, see Him, know Him, or hear Him. They are dead, blind, and deaf! But, those who are born again, they will know Him, hear His voice, and follow Him. Why? Because He lives inside of them. JK

14:21 When forced between the commandments of God and the commandments of men, what will you choose? Those who truly love God will choose to follow God's commands and bear the consequences of disobeying man's. EM

23 Jesus antwortete und sprach zu ihm: Wer mich liebet, der wird mein Wort halten; und mein Vater wird ihn lieben, und wir werden zu ihm kommen und Wohnung bei ihm machen. 24 Wer aber mich nicht liebet, der hält meine Worte nicht. Und das Wort, das ihr höret ist nicht mein, sondern des Vaters, der mich gesandt hat. 25 Solches hab' ich zu euch geredet, weil ich bei euch gewesen bin. 26 Aber der Tröster, der Heilige Geist, welchen mein Vater senden wird in meinem Namen, derselbige wird's euch alles lehren und euch erinnern alles des, das ich euch gesagt habe. 27 Den Frieden lasse ich euch; meinen Frieden gebe ich euch. Nicht gebe ich euch, wie die Welt gibt. Euer Herz erschrecke nicht und fürchte sich nicht! 28 Ihr habt gehöret, daß ich euch gesagt habe: Ich gehe hin und komme wieder zu euch. Hättet ihr mich lieb, so würdet ihr euch freuen, daß ich gesagt habe: Ich gehe zum Vater; denn der Vater ist größer denn ich. 29 Und nun hab' ich's euch gesagt, ehe denn es geschiehet, auf daß, wenn es nun geschehen wird, daß ihr glaubet. 30 Ich werde hinfort nicht mehr viel mit euch reden; denn es kommt der Fürst dieser Welt und hat nichts an mir. 31 Aber daß die Welt erkenne, daß ich den Vater liebe, und ich also tue, wie mir der Vater geboten hat, stehet auf und lasset uns von hinnen gehen!

23 Jesus hott eem ksawt, "Vann ebbah mich leeb hott, hald eah mei Vatt. Un mei Faddah leebt een, un miah kumma zu eem un macha unsah haymet bei eem. 24 Deah vo mich nett leebt, hald mei vadda nett. Dee vadda vo diah heahret sinn nett meini, avvah em Faddah seini, sellah vo mich kshikt hott. 25 Dee sacha habb ich eich ksawt diveil es ich alsnoch bei eich binn. 26 Avvah da Drayshtah, da Heilich Geisht, vo da Faddah shikt in meim nohma, eah land eich alli sacha, un gmohnd eich droh an alles es ich ksawt habb zu eich. 27 Ich loss fridda bei eich; mei fridda gevvich zu eich; ich gebb eich da fridda nett vi di veld gebt. Losset eiyah hatza nett gedruvveld sei un feichet eich aw nett. 28 Diah hend mich keaht sawwa zu eich, 'Ich gay fatt un ich kumm viddah zrikk.' Vann diah mich gleebt heddet, veahret diah froh gvest veil ich zumm Faddah gay, fa da Faddah is graysah es ich binn. 29 Un nau habb ich eich dess ksawt eb's blatz nemd, so es diah glawva kennet vann's moll blatz nemd. 30 Ich shvetz nimmi feel mitt eich, veil da ivvah-saynah funn deahra veld am kumma is. Eah hott kenn graft ivvah mich, 31 avvah ich du vi da Faddah mich gebodda hott, so es di veld vissa kann es ich da Faddah leeb habb. Shtaynd uf, vella gay."

23 Jesus answered and said unto him, If a man love me, he will keep my words: and my Father will love him, and we will come unto him, and make our abode with him. **24** He that loveth me not keepeth not my sayings: and the word which ye hear is not mine, but the Father's which sent me. **25** These things have I spoken unto you, being *yet* present with you. **26** But the Comforter, *which is* the Holy Ghost, whom the Father will send in my name, he shall teach you all things, and bring all things to your remembrance, whatsoever I have said unto you. **27** Peace I leave with you, my peace I give unto you: not as the world giveth, give I unto you. Let not your heart be troubled, neither let it be afraid. **28** Ye have heard how I said unto you, I go away, and come *again* unto you. If ye loved me, ye would rejoice, because I said, I go unto the Father: for my Father is greater than I. **29** And now I have told you before it come to pass, that, when it is come to pass, ye might believe. **30** Hereafter I will not talk much with you: for the prince of this world cometh, and hath nothing in me. **31** But that the world may know that I love the Father; and as the Father gave me commandment, even so I do. Arise, let us go hence.

14:26 When's the last time you thanked God for sending His Spirit to you? When's the last time you listened to the Spirit's voice, and He taught you something special and powerful? Or He brought a Scripture to your memory at the right time, the right place? JK

14:28 It's been 2,000 years since Jesus said those words, but you can bank on it. He is returning! Yes, He is. Our job is to be ready, excited, waiting at all times for His grand appearing in the eastern sky. If He came in ten minutes from now, would you go with Him? Have you been born again? JK

14:31 Jesus knew He was marching straight into His own death. Nevertheless, He faced the torture willingly because it would glorify His Father. Jesus was totally unselfish. JK

15:1 Ich bin ein rechter Weinstock und mein Vater ein Weingärtner. 2 Eine jegliche Rebe an mir, die nicht Frucht bringet, wird er wegnehmen, und eine jegliche, die da Frucht bringet, wird er reinigen, daß sie mehr Frucht bringe. 3 Ihr seid jetzt rein um des Worts willen, das ich zu euch geredet habe. 4 Bleibt in mir und ich in euch. Gleichwie die Rebe kann keine Frucht bringen von ihr selber, sie bleibe denn am Weinstock, also auch ihr nicht, ihr bleibet denn an mir. 5 Ich bin der Weinstock; ihr seid die Reben. Wer in mir bleibet und ich in ihm der bringet viel Frucht; denn ohne mich könnt ihr nichts tun. 6 Wer nicht in mir bleibet, der wird weggeworfen wie eine Rebe und verdorret, und man sammelt sie und wirft sie ins Feuer, und muß brennen. 7 So ihr in mir bleibet, und meine Worte in euch bleiben, werdet ihr bitten, was ihr wollt, und es wird euch widerfahren. 8 Darinnen wird mein Vater geehret, daß ihr viel Frucht bringet und werdet meine Jünger. 9 Gleichwie mich mein Vater liebet, also liebe ich euch auch. Bleibet in meiner Liebe! 10 So ihr meine Gebote haltet, so bleibet ihr in meiner Liebe, gleichwie ich meines Vaters Gebote halte und bleibe in seiner Liebe. 11 Solches rede ich zu euch, auf daß meine Freude in euch bleibe, und eure Freude

15:1 "Ich binn da recht drauva-shtokk un mei Faddah is da vann vo da drauva-goahra hald. 2 Alli nasht in miah es kenn drauva grikt nemd eah vekk, un alli nasht es drauva grikt shneit eah zrikk, so es eah may drauva grikt. 3 Diah sind nau shund sauvah gmacht deich di vadda es ich ksawt habb zu eich. 4 Bleivet in miah, un ich in eich. Grawt vi da nasht kenn drauva greeya kann bei sich selvaht, unni es eah am drauva-shtokk bleibt, so kennet diah aw kenn frucht greeya unni es diah in miah bleivet. 5 Ich binn da drauva-shtokk; diah sind di nesht. Deah vo in miah bleibt, un ich in eem, deah grikt feel frucht, veil unni mich kennet diah nix du. 6 Vann en mann nett in miah bleibt, vatt eah naus kshmissa vi en nasht, un drikkeld uf. Un di nesht vadda no zammah gegeddaht, in's feiyah kshmissa un fabrend. 7 Vann diah in miah bleivet, un mei vadda in eich bleiva, kennet diah frohwa vass diah vellet, un's vatt gedu fa eich. 8 Da Faddah grikt hohchi eah vann diah feel frucht greeyet, un bei demm veiset diah es diah mei yingah sind. 9 Vi da Faddah mich gleebt hott, so habb ich eich gleebt; bleivet in mei leevi. 10 Vann diah mei gebodda haldet, dann bleivet diah in mei leevi, grawt vi ich meim Faddah sei gebodda kalda habb un bleib in seinra leevi. 11 Dee sacha havvich ksawt zu eich so es mei frayt in eich is, un es

15:1 I am the true vine, and my Father is the husbandman. **2** Every branch in me that beareth not fruit he taketh away: and every *branch* that beareth fruit, he purgeth it, that it may bring forth more fruit. **3** Now ye are clean through the word which I have spoken unto you. **4** Abide in me, and I in you. As the branch cannot bear fruit of itself, except it abide in the vine; no more can ye, except ye abide in me. **5** I am the vine, ye *are* the branches: He that abideth in me, and I in him, the same bringeth forth much fruit: for without me ye can do nothing. **6** If a man abide not in me, he is cast forth as a branch, and is withered; and men gather them, and cast *them* into the fire, and they are burned. **7** If ye abide in me, and my words abide in you, ye shall ask what ye will, and it shall be done unto you. **8** Herein is my Father glorified, that ye bear much fruit; so shall ye be my disciples. **9** As the Father hath loved me, so have I loved you: continue ye in my love. **10** If ye keep my commandments, ye shall abide in my love; even as I have kept my Father's commandments, and abide in his love. **11** These things have I spoken unto you, that my joy might remain in you, and *that*

15:2 He prunes us so we may bring forth more fruit. JZ

15:4-5 How much fruit (love, joy, peace, long suffering, gentleness, goodness, faith, meekness, temperance, Gal. 5:22-23) do you want flowing out of you? Then pluck into Jesus and stay plucked in. JK

15:6 The husbandman is the one who removes the branches from the vine. He is the only one who can do that because He is the only one who truly knows the heart and the man. EM

vollkommen werde. 12 Das ist mein Gebot, daß ihr euch untereinander liebet, gleichwie ich euch liebe. 13 Niemand hat größere Liebe denn die, daß er sein Leben lässet für seine Freunde. 14 Ihr seid meine Freunde, so ihr tut, was ich euch gebiete. 15 Ich sage hinfort nicht, daß ihr Knechte seid; denn ein Knecht weiß nicht, was sein HERR tut. Euch aber habe ich gesagt, daß ihr Freunde seid; denn alles, was ich habe von meinem Vater gehöret, hab' ich euch kundgetan. 16 Ihr habet mich nicht erwählet, sondern ich habe euch erwählet und gesetzt, daß ihr hingehet und Frucht bringet, und eure Frucht bleibe, auf daß, so ihr den Vater bittet in meinem Namen, daß er's euch gebe 17 Das gebiete ich euch, daß ihr euch untereinander liebet. 18 So euch die Welt hasset, so wisset, daß sie mich vor euch gehasset hat. 19 Wäret ihr von der Welt, so hätte die Welt das Ihre lieb; dieweil ihr aber nicht von der Welt seid, sondern ich habe euch von der Welt erwählet, darum hasset euch die Welt. 20 Gedenket an mein Wort, das ich euch gesagt habe: Der Knecht ist nicht größer denn, sein HERR. Haben sie mich verfolget, sie werden euch auch verfolgen; haben sie mein Wort gehalten, so werden sie eures auch halten. 21 Aber das alles werden sie euch tun um meines Namens willen; denn sie kennen den nicht, der mich gesandt hat.

eiyah frayt folkumma is. 12 Dess is mei gebott, es diah nannah leevet vi ich eich gleebt habb. 13 Nimmand hott graysahri leevi vi dess, es en mann sei layva gebt fa sei freind. 14 Diah sind mei freind vann diah doond vass ich eich sawk. 15 Ich hays eich nimmi lengah gnechta, veil en gnecht nett vayst vass sei meishtah am du is, avvah ich habb eich freind kaysa, veil alles es ich keaht habb funn meim Faddah havvich eich vissa glost. 16 Diah hend mich nett raus groofa, avvah ich habb eich raus groofa un eich eiksetzt fa gay un frucht foah bringa, un es eiyah frucht bleiva soll; so es vass-evvah es diah da Faddah frohwet in meim nohma, sell gebt eah zu eich. 17 Dess gebott gebb ich eich, es diah nannah leevet."

18 "Vann di veld eich hast, dann visset diah es si mich seahsht kast hott. 19 Vann diah funn di veld veahret, dayt di veld eich leeva. Avvah veil diah nett funn di veld sind, un ich habb eich aus di veld groofa, fasell dutt di veld eich hassa. 20 Meindet di vadda es ich ksawt habb zu eich, 'En gnecht is nett graysah es sei meishtah.' Vann si mich fafolkt henn, dann doon si eich aw fafolka. Vann si mei vadda kalda henn doon si eiyahri aw. 21 Avvah si doon dess alles zu eich veyyich miah, veil si deah nett kenna doon vo mich kshikt hott.

your joy might be full. **12** This is my commandment, That ye love one another, as I have loved you. **13** Greater love hath no man than this, that a man lay down his life for his friends. **14** Ye are my friends, if ye do whatsoever I command you. **15** Henceforth I call you not servants; for the servant knoweth not what his lord doeth: but I have called you friends; for all things that I have heard of my Father I have made known unto you. **16** Ye have not chosen me, but I have chosen you, and ordained you, that ye should go and bring forth fruit, and *that* your fruit should remain: that whatsoever ye shall ask of the Father in my name, he may give it you. **17** These things I command you, that ye love one another. **18** If the world hate you, ye know that it hated me before *it hated* you. **19** If ye were of the world, the world would love his own: but because ye are not of the world, but I have chosen you out of the world, therefore the world hateth you. **20** Remember the word that I said unto you, The servant is not greater than his lord. If they have persecuted me, they will also persecute you; if they have kept my saying, they will keep yours also. **21** But all these things will they do unto you for my name's sake, because they know not him that sent me.

15:14 Are you hanging on to anything that is your or another man's will, but not the Lord's? JZ

15:15 Who would have ever thought that I could be a friend of God? EM

15:16 People will often say they found the Lord. But the truth is the Lord found us. He wasn't lost, we were. We can't come to the Lord except His Holy Spirit draws us. See John 6:44 JK

15:19 It's a fact. The natural man hates true followers of Christ. I was like that. JZ

15:20 Jesus was willing to endure this for you; are you willing to endure this for Him? EM

15:21 For this reason you and I should never take it personally when unbelievers condemn and make fun of us. JK

22 Wenn ich nicht kommen wäre und hätte es ihnen gesagt, hätten sie keine Sünde; nun aber können sie nichts vorwenden, ihre Sünde zu entschuldigen. 23 Wer mich hasset, der hasset auch meinen Vater. 24 Hätte ich nicht die Werke getan unter ihnen, die kein anderer getan hat, so hätten sie keine Sünde; nun aber haben sie es gesehen und hassen doch beide, mich und meinen Vater. 25 Doch daß erfüllet werde der Spruch, in ihrem Gesetz geschrieben: Sie hassen mich ohn' Ursache. 26 Wenn aber der Tröster kommen wird, welchen ich euch senden werde vom Vater, der Geist der Wahrheit, der vom Vater ausgehet, der wird zeugen von mir. 27 Und ihr werdet auch zeugen; denn ihr seid von Anfang bei mir gewesen.

16:1 Solches habe ich zu euch geredet, daß ihr euch nicht ärgert. 2 Sie werden euch in den Bann tun. Es kommt aber die Zeit, daß, wer euch tötet, wird meinen, er tue Gott einen Dienst daran. 3 Und solches werden sie euch darum tun, daß sie weder meinen Vater noch mich erkennen. 4 Aber solches habe ich zu euch geredet, auf daß, wenn die Zeit kommen wird, daß ihr daran gedenket, daß ich's euch gesagt habe. Solches aber habe ich euch von Anfang nicht gesagt; denn ich war bei euch. 5 Nun aber gehe ich hin zu dem, der mich gesandt hat; und niemand unter euch fraget mich: Wo gehest du hin?

22 Vann ich nett kumma veah un kshvetzt hett zu eena, dann hedda si kenn sinda, avvah nau henn si kenn ausret veyyich iahra sinda. 23 Deah vo mich hast, hast mei Faddah aw. 24 Vann ich nett di verka gedu hett unnich eena vo noch nimmand shunsht gedu hott, hedda si kenn sinda. Avvah nau henn si dess ksenna, un si hassa mich un mei Faddah. 25 Dess is fa's Vatt folfilla vo kshrivva is in iahrem Ksetz, 'Si henn mich kast unni uahsach.' 26 Vann da Drayshtah moll kumd vass ich zu eich shikk fumm Faddah, dess is, da Geisht funn di Voahheit es aus em Faddah kumd, dann gebt eah zeiknis veyyich miah. 27 Un diah zaylet aw zeiknis gevva veil diah bei miah voahret fumm ohfang."

16:1 "Ich habb awl dess ksawt zu eich so es diah nett vekk falla sellet. 2 Si doon eich aus di Yudda-gmay, un di zeit kumd vann veahevvah es eich doht macht, maynd eah veah am Gott en deensht du. 3 Un si doon dess veil si nett da Faddah adda mich gekend henn. 4 Avvah ich habb dee sacha ksawt zu eich so es vann di zeit moll kumd, denket diah droh es ich eich ksawt habb diveyya. Ich habb dee sacha nett ksawt am ohfang veil ich bei eich voah." 5 "Avvah nau gayn ich zu eem vo mich kshikt hott, un nimmand funn eich frohkt mich, 'Vo gaysht du hee?'

22 If I had not come and spoken unto them, they had not had sin: but now they have no cloke for their sin. **23** He that hateth me hateth my Father also. **24** If I had not done among them the works which none other man did, they had not had sin: but now have they both seen and hated both me and my Father. **25** But *this cometh to pass*, that the word might be fulfilled that is written in their law, They hated me without a cause. **26** But when the Comforter is come, whom I will send unto you from the Father, *even* the Spirit of truth, which proceedeth from the Father, he shall testify of me: **27** And ye also shall bear witness, because ye have been with me from the beginning.

16:1 These things have I spoken unto you, that ye should not be offended. **2** They shall put you out of the synagogues: yea, the time cometh, that whosoever killeth you will think that he doeth God service. **3** And these things will they do unto you, because they have not known the Father, nor me. **4** But these things have I told you, that when the time shall come, ye may remember that I told you of them. And these things I said not unto you at the beginning, because I was with you. **5** But now I go my way to him that sent me; and none of you asketh me, Whither goest thou?

15:26 This is now the fourth time Jesus called the Holy Spirit the Comforter. I don't know about you, but that blesses me. My soul needs comfort many times. Thank you Jesus for sending us the Comforter. JK

16:2 Christ warned His followers that following Him will cost them something. EM

16:2 Have you ever participated in putting someone out of church because they chose to follow Jesus Christ instead of a man-made religion? Maybe you yourself were the one put out of church? Whatever the case, just remember, Jesus and His followers were also cast out and excommunicated. JK

16:3 Here's the answer to verse 2. These hard core church leaders who did the casting out do not know the Father, nor do they follow Jesus Christ. They are all about self and keeping the traditions and rules of the church. JK

6 sondern dieweil ich solches zu euch geredet habe, ist euer Herz voll Trauerns worden. 7 Aber ich sage euch die Wahrheit: Es ist euch gut, daß ich hingehe. Denn so ich nicht hingehe, so kommt der Tröster nicht zu euch; so ich aber gehe, will ich ihn zu euch senden. 8 Und wenn derselbige kommt, der wird die Welt strafen um die Sünde und um die Gerechtigkeit und um das Gericht: 9 um die Sünde, daß sie nicht glauben an mich; 10 um die Gerechtigkeit aber, daß ich zum Vater gehe, und ihr mich hinfort nicht sehet; 11 um das Gericht, daß der Fürst dieser Welt gerichtet ist. 12 Ich habe euch noch viel zu sagen; aber ihr könnet's jetzt nicht tragen. 13 Wenn aber jener, der Geist der Wahrheit, kommen wird, der wird euch in alle Wahrheit leiten. Denn er wird nicht von ihm selber reden, sondern was er hören wird, das wird er reden, und was zukünftig ist, wird er euch verkündigen. 14 Derselbige wird mich verklären; denn von dem Meinen wird er's nehmen und euch verkündigen. 15 Alles, was der Vater hat, das ist mein; darum hab' ich gesagt: Er wird's von dem Meinen nehmen und euch verkündigen. 16 Über ein kleines, so werdet ihr mich nicht sehen, und aber über ein kleines, so werdet ihr mich sehen; denn ich gehe zum Vater. 17 Da sprachen etliche unter seinen Jüngern untereinander: Was ist

6 Avvah veil ich eich dee sacha ksawt habb, is dreebsawl in eiyah hatza. 7 Doch ich sawk eich di voahret. Es is fa eiyah goot es ich fatt gay, veil vann ich nett fatt gay, kumd da drayshtah nett zu eich; avvah vann ich gay, shikk ich een zu eich. 8 Un vann eah moll kumd dutt eah di veld bekimmaht macha veyyich sinda, veyyich gerechtichkeit un veyyich em gericht: 9 veyyich iahra sinda, veil si nett an mich glawva; 10 veyyich gerechtich-keit, veil ich zumm Faddah gay un diah saynet mich nimmi; 11 veyyich em gericht, veil da ivvah-saynah funn dee veld gricht is. 12 Ich habb alsnoch feel sacha fa eich sawwa avvah diah ken-net si nett shtenda allaveil. 13 Vann moll da Geisht funn di Voahheit kumd, dann fiaht eah eich in alli voahheit, veil eah nett shvetzt funn sich selvaht, avvah eah shvetzt yusht vass eah heaht, un eah sawkt eich di sacha vass noch am kumma sinn. 14 Eah fakleaht mich veil eah nemd vass mei is, un laykt's aus zu eich. 15 Alles es da Faddah hott is mei; fasell havvich ksawt, eah nemd vass mei is, un laykt's aus zu eich. 16 In en glenni veil saynet diah mich nimmi, un no viddah in en glenni veil doond diah mich sayna, veil ich zumm Faddah gay." 17 Samm funn sei yingah henn ksawt zu nannah, "Vass is dess es eah sawkt zu uns, 'In

6 But because I have said these things unto you, sorrow hath filled your heart. **7** Nevertheless I tell you the truth; It is expedient for you that I go away: for if I go not away, the Comforter will not come unto you; but if I depart, I will send him unto you. **8** And when he is come, he will reprove the world of sin, and of righteousness, and of judgment: **9** Of sin, because they believe not on me; **10** Of righteousness, because I go to my Father, and ye see me no more; **11** Of judgment, because the prince of this world is judged. **12** I have yet many things to say unto you, but ye cannot bear them now. **13** Howbeit when he, the Spirit of truth, is come, he will guide you into all truth: for he shall not speak of himself; but whatsoever he shall hear, *that* shall he speak: and he will shew you things to come. **14** He shall glorify me: for he shall receive of mine, and shall shew *it* unto you. **15** All things that the Father hath are mine: therefore said I, that he shall take of mine, and shall shew *it* unto you. **16** A little while, and ye shall not see me: and again, a little while, and ye shall see me, because I go to the Father. **17** Then said *some* of his disciples among themselves, What is this that

16:7 When Jesus said, "It is expedient for you that I go away," He meant it was to their (as well as our) advantage that He go away. Why? Because He was standing in the way of the Holy Spirit. You see, Jesus could only be at one place at a time; whereas, the Holy Spirit could be everywhere at the same time. JK

16:8 Have you ever tried to take the place of the Holy Spirit and make someone feel guilty of their ways? Maybe you brought the law down on them? Used force? Does it comfort your soul to know it is not our job to do that, but the Holy Spirit's? JK

16:13 We need the Holy Spirit more than we need any other thing. JZ

das, was er saget zu uns: Über ein
so werdet ihr mich nicht sehen, und
aber über ein kleines, so werdet
ihr mich sehen, und daß ich zum
Vater gehe? 18 Da sprachen sie:
Was ist das, was er sagt: Über
ein kleines? Wir wissen nicht, was
er redet. 19 Da merkete Jesus,
daß sie ihn fragen wollten, und
sprach zu ihnen: Davon fraget
ihr untereinander, daß ich gesagt
habe: Über ein kleines, so werdet
ihr mich nicht sehen, und aber über
ein kleines, so werdet ihr mich
sehen. 20 Wahrlich, wahrlich, ich,
sage euch: Ihr werdet weinen und
heulen; aber die Welt wird sich
freuen. Ihr aber werdet traurig
sein; doch eure Traurigkeit soll
in Freude verkehret werden. 21
Ein Weib, wenn sie gebiert, so hat
sie Traurigkeit; denn ihre Stunde
ist kommen. Wenn sie aber das
Kind geboren hat, denket sie nicht
mehr an die Angst um der Freude
willen, daß der Mensch zur Welt
geboren ist. 22 Und ihr habt auch
nun Traurigkeit aber ich will euch
wiedersehen, und euer Herz soll
sich freuen, und eure Freude soll
niemand von euch nehmen. 23
Und an demselbigen Tage werdet
ihr mich nichts fragen. Wahrlich,
wahrlich, ich sage euch: So ihr
den Vater etwas bitten werdet
in meinen Namen, so wird er's
euch geben. 24 Bisher habt ihr
nichts gebeten in meinem Namen.
Bittet, so werdet ihr nehmen, daß
eure Freude vollkommen sei.

en glenni veil saynet diah mich
nimmi, un viddah in en glenni
veil saynet diah mich viddah'?
Un vass maynd eah bei, 'Veil ich
zumm Faddah gay'?" 18 Un si
henn ksawt, "Vass maynd eah
bei 'en glenni veil'? Miah vissa
nett vass eah maynd." 19 Jesus
hott gvist es si een frohwa vella,
so hott eah si kfrohkt, "Sinn diah
am shvetza veyyich demm vo ich
ksawt hab, 'In en glenni veil
saynet diah mich nett, un no vid-
dah in en glenni veil saynet diah
mich'? 20 Voahlich, voahlich, ich
sawk eich, diah zaylet heila un
brilla, avvah di veld zayld sich
froiya; diah zaylet gay mitt dree-
bsawl, avvah eiyah dreebsawl
zayld sich zu frayt drayya. 21 En
veibsmensh am en kind greeya
hott angsht veil iahra zeit do is.
Avvah vann's kind moll gebo-
ahra is, fagest see vass see deich
gmacht hott, veil see so froh is es
en kind in di veld geboahra is. 22
So nau hend diah angsht, avvah
ich zayl eich viddah sayna un
eiyah hatza zayla froh vadda, un
nimmand nemd dee frayt funn
eich. 23 An sellem dawk doond
diah mich nix frohwa. Voahlich,
voahlich, ich sawk eich, vann
diah da Faddah ennich ebbes
frohwet in meim nohma, dann
gebt eah's zu eich. 24 Nuff biss
nau hend diah nett kfrohkt fa
ennich ebbes in meim nohma;
frohwet un diah zaylet greeya,
so es eiyah frayt folkumma vatt.

he saith unto us, A little while, and ye shall not see me: and again, a little while, and ye shall see me: and, Because I go to the Father? **18** They said therefore, What is this that he saith, A little while? we cannot tell what he saith. **19** Now Jesus knew that they were desirous to ask him, and said unto them, Do ye enquire among yourselves of that I said, A little while, and ye shall not see me: and again, a little while, and ye shall see me? **20** Verily, verily, I say unto you, That ye shall weep and lament, but the world shall rejoice: and ye shall be sorrowful, but your sorrow shall be turned into joy. **21** A woman when she is in travail hath sorrow, because her hour is come: but as soon as she is delivered of the child, she remembereth no more the anguish, for joy that a man is born into the world. **22** And ye now therefore have sorrow: but I will see you again, and your heart shall rejoice, and your joy no man taketh from you. **23** And in that day ye shall ask me nothing. Verily, verily, I say unto you, Whatsoever ye shall ask the Father in my name, he will give *it* you. **24** Hitherto have ye asked nothing in my name: ask, and ye shall receive, that your joy may be full.

16:20 And so it is still today. While God's people weep and sorrow over the wicked ways of this world, the world in turn laughs and mocks. However, there's a day coming, dear reader, when our tears and sorrow will turn into joy. Oh glorious day that will be, and it will last for all eternity! JK

16:21 Knowing Jesus can be just like this. There are many around the world who are persecuted because of their faith. But one day immense joy will replace all of that sorrow and all will say, "It was worth it." EM

16:22 No one can take our joy. We have to give it away. JK

16:23 Why aren't we asking? If we genuinely want to know the Lord and ask Him to reveal Himself to us, He will answer. JZ

25 Solches hab' ich zu euch durch Sprichwörter geredet. Es kommt aber die Zeit, daß ich nicht mehr durch Sprichwörter mit euch reden werde, sondern euch frei heraus verkündigen von meinem Vater. 26 An demselbigen Tage werdet ihr bitten in meinem Namen. Und ich sage euch nicht, daß ich den Vater für euch bitten will; 27 denn er selbst, der Vater, hat euch lieb, darum daß ihr mich liebet und glaubet, daß ich von Gott ausgegangen bin. 28 Ich bin vom Vater ausgegangen und kommen in die Welt; wiederum verlasse ich die Welt und gehe zum Vater. 29 Sprechen zu ihm seine Jünger: Siehe, nun redest du frei heraus und sagest kein Sprichwort. 30 Nun wissen wir, daß du alle Dinge weißt und bedarfst nicht, daß dich jemand frage. Darum glauben wir, daß du von Gott ausgegangen bist. 31 Jesus antwortete ihnen: Jetzt glaubet ihr. 32 Siehe, es kommt die Stunde und ist schon kommen, daß ihr zerstreuet werdet, ein jeglicher in das Seine, und mich alleine lasset. Aber ich bin nicht alleine; denn der Vater ist bei mir. 33 Solches habe ich mit euch geredet, daß ihr in mir Frieden habet. In der Welt habt ihr Angst; aber seid getrost, ich habe die Welt überwunden.

25 Ich habb dee sacha ksawt zu eich in gleichnisa. Di zeit is am kumma vann ich nimmi shvetz zu eich in gleichnisa, avvah ich shvetz no playn un deidlich zu eich veyyich em Faddah. 26 An sellem dawk frohwa diah da Faddah in meim nohma. Ich sawk eich nett es ich da Faddah frohk fa eich. 27 Da Faddah selvaht leebt eich veil diah mich gleebt hend, un geglawbt hend es ich fumm Faddah kumma binn. 28 Ich binn fumm Faddah kumma, un ich binn in di veld kumma. Un nau binn ich am di veld falossa, un ich gay zumm Faddah." 29 No henn sei yingah ksawt zu eem, "Nau bisht du am playn shvetza un nimmi in gleichnisa. 30 Nau vissa miah es du alles vaysht; du brauchsht nimmand fa dich sacha frohwa. Dess macht uns glawva es du funn Gott kumma bisht." 31 Jesus hott si kfrohkt, "Doond diah nau glawva? 32 Di zeit is am kumma, un is nau do, vann diah awl fayawkt vaddet, yaydah ebbah zu sei aykni haymet, un ich va gans laynich glost. Doch, ich binn nett laynich, veil da Faddah bei miah is. 33 Ich habb eich dee sacha ksawt so es diah fridda havva sellet deich mich. In di veld zaylet diah dreebsawl havva, avvah froiyet eich, ich binn di veld ivvah-kumma."

25 These things have I spoken unto you in proverbs: but the time cometh, when I shall no more speak unto you in proverbs, but I shall shew you plainly of the Father. **26** At that day ye shall ask in my name: and I say not unto you, that I will pray the Father for you: **27** For the Father himself loveth you, because ye have loved me, and have believed that I came out from God. **28** I came forth from the Father, and am come into the world: again, I leave the world, and go to the Father. **29** His disciples said unto him, Lo, now speakest thou plainly, and speakest no proverb. **30** Now are we sure that thou knowest all things, and needest not that any man should ask thee: by this we believe that thou camest forth from God. **31** Jesus answered them, Do ye now believe? **32** Behold, the hour cometh, yea, is now come, that ye shall be scattered, every man to his own, and shall leave me alone: and yet I am not alone, because the Father is with me. **33** These things I have spoken unto you, that in me ye might have peace. In the world ye shall have tribulation: but be of good cheer; I have overcome the world.

16:27 Many people see God as a harsh God whom Jesus has to constantly appease to keep peace in the family. But Jesus reveals God the Father as loving us just because we love Jesus. JK

16:30 I find it amazing that when Jesus was about done with His ministry on earth, these men are barely catching on. Think about it! Why is it so hard for truth to sink in? JK

16:31 What a challenging question for us all! Do you now believe? JK

16:32 Every one of these disciples forsook Jesus (Matthew 26:56 and Mark 14:50). JK

17:1 Solches redete Jesus und hub seine Augen auf gen Himmel und sprach: Vater, die Stunde ist hier, daß du deinen Sohn verklärest, auf daß dich dein Sohn auch verkläre, 2 gleichwie du ihm Macht hast gegeben über alles Fleisch, auf daß er das ewige Leben gebe allen, die du ihm gegeben hast. 3 Das ist aber das ewige Leben, daß sie dich, daß du allein wahrer Gott bist, und den du gesandt hast, Jesum Christum, erkennen. 4 Ich habe dich verkläret auf Erden und vollendet das Werk, das du mir gegeben hast, daß ich's tun sollte. 5 Und nun verkläre mich du, Vater, bei dir selbst mit der Klarheit, die ich bei dir hatte, ehe die Welt war. 6 Ich habe deinen Namen offenbaret den Menschen, die du mir von der Welt gegeben hast. Sie waren dein, und du hast sie mir gegeben, und sie haben dein Wort behalten. 7 Nun wissen sie, daß alles, was du mir gegeben hast, sei von dir. 8 Denn die Worte, die du mir gegeben hast, hab' ich ihnen gegeben; und sie haben's angenommen und erkannt wahrhaftig, daß ich von dir ausgegangen bin, und glauben, daß du mich gesandt hast. 9 Ich bitte für sie und bitte nicht für die Welt, sondern für die, so du mir gegeben hast; denn sie sind dein. 10 Und alles, was mein ist, das ist dein, und was dein ist, das ist mein; und ich bin in ihnen verkläret. 11 Und ich bin nicht mehr in der Welt; sie

17:1 Vo Jesus dee vadda ksawt katt hott, hott eah nuff noch em Himmel gegukt un hott ksawt, "Faddah, di shtund is do. Fakleah dei Sohn so es dei Sohn dich fagleahra kann. 2 Du hosht eem macht gevva ivvah awl mensha, so es eah ayvich layva gevva kann zu awl dee vo du gevva hosht zu eem. 3 Un dess is ayvich layva, es si dich, da aynsisht voahlich Gott, kenna sella, un es si Jesus Christus, deah vo du kshikt hosht, kenna sella. 4 Ich habb dich fakleaht uf di eaht, un habb faddich gmacht vass du miah gevva hosht zu du. 5 Un nau, Faddah, fakleah mich datt bei diah, mitt di gloahheit vo ich katt habb mitt diah eb di veld gmacht voah. 6 Ich habb dei nohma vissa glost zu di leit es du miah gevva hosht aus di veld. Si voahra dei, un du hosht si zu miah gevva, un si henn dei Vatt kalda. 7 Nau vissa si es alles es du miah gevva hosht funn diah is. 8 Fa ich habb eena di vadda gevva es du miah gevva hosht, un si henn si eignumma un vissa voahhaftich es ich kumma binn funn diah, un si henn geglawbt es du mich kshikt hosht. 9 Ich binn am bayda fa si; ich binn nett am bayda fa di veld, avvah fa selli vo du miah gevva hosht, fa si sinn dei. 10 Awl dee vo mei sinn, sinn dei; awl deini sinn meini, un ich binn fakleaht in eena. 11 Un nau binn ich nimmi in di veld, avvah

17:1 These words spake Jesus, and lifted up his eyes to heaven, and said, Father, the hour is come; glorify thy Son, that thy Son also may glorify thee: **2** As thou hast given him power over all flesh, that he should give eternal life to as many as thou hast given him. **3** And this is life eternal, that they might know thee the only true God, and Jesus Christ, whom thou hast sent. **4** I have glorified thee on the earth: I have finished the work which thou gavest me to do. **5** And now, O Father, glorify thou me with thine own self with the glory which I had with thee before the world was. **6** I have manifested thy name unto the men which thou gavest me out of the world: thine they were, and thou gavest them me; and they have kept thy word. **7** Now they have known that all things whatsoever thou hast given me are of thee. **8** For I have given unto them the words which thou gavest me; and they have received *them*, and have known surely that I came out from thee, and they have believed that thou didst send me. **9** I pray for them: I pray not for the world, but for them which thou hast given me; for they are thine. **10** And all mine are thine, and thine are mine; and I am glorified in them. **11** And now I am no more in the world, but these are in the

17:1a Notice the words "lifted up His eyes to heaven, and said Father." The rest of this chapter records Jesus' prayer. JK

17:3 Jesus defined eternal life as knowing God the Father and Jesus Christ. The word "know" is speaking of intimacy instead of head knowledge. There is a difference! See John 10:27 and 5:24. JK

17:5 The Word (Jesus) indeed was God, was with God, and all things were created by Him (John 1:1-3). JZ

17:11 Jesus prayed for us to be one as He was one with the Father. That's amazing! It certainly doesn't look like that has ever happened on the outside. I believe that in our born-again spirits, there is a oneness (1 Corinthians 6:17), but it needs to be reflected on the outside in our relationships with other members of Christ's body. JK

aber sind in der Welt, und ich komme zu dir. Heiliger Vater, erhalte sie in deinem Namen, die du mir gegeben hast, daß sie eins seien gleichwie wir! 12 Dieweil ich bei ihnen war in der Welt, erhielt ich sie in deinem Namen. Die du mir gegeben hast, die habe ich bewahret, und ist keiner von ihnen verloren ohne das verlorne Kind, daß die Schrift erfüllet würde. 13 Nun aber komme ich zu dir und rede solches in der Welt, auf daß sie in ihnen haben meine Freude vollkommen. 14 Ich hab' ihnen gegeben dein Wort, und die Welt hasset sie; denn sie sind nicht von der Welt, wie denn auch ich nicht von der Welt bin. 15 Ich bitte nicht, daß du sie von der Welt nehmest, sondern daß du sie bewahrest vor dem Übel. 16 Sie sind nicht von der Welt, gleichwie auch ich nicht von der Welt bin. 17 Heilige sie in deiner Wahrheit; dein Wort ist die Wahrheit. 18 Gleichwie du mich gesandt hast in die Welt, so sende ich sie auch in die Welt. 19 Ich heilige mich selbst für sie, auf daß auch sie geheiliget seien in der Wahrheit. 20 Ich bitte aber nicht alleine für sie, sondern auch für die, so durch ihr Wort an mich glauben werden, 21 auf daß sie alle eins seien gleichwie du, Vater, in mir und ich in dir, daß auch sie in uns eins seien, auf daß die Welt glaube, du habest mich gesandt.

si sinn in di veld, un ich binn am zu diah kumma. Heilichah Faddah, hald selli in diah selvaht vo du miah gevva hosht, so es si ayns sinn vi miah ayns sinn. 12 Diveil es ich bei eena voah in di veld, habb ich si in deim nohma kalda vo du miah gevva hosht. Ich habb si keet, so es kens funn eena faloahra ganga is, unni yusht dess faloahra kind. Dess is so es di Shrift folfild vadda soll. 13 Avvah nau binn ich am zu diah kumma, un dee sacha shvetz ich in di veld, so es si mei frayt havva kenna, un es di frayt folkumma is in eena. 14 Ich habb eena dei Vatt gevva, un di veld hott si kast veil si nett funn di veld sinn, grawt vi ich nett funn di veld binn. 15 Ich bayt nett es du si aus di veld nemma solsht, avvah es du si haldsht funn demm vo evil is. 16 Si sinn nett funn di veld, grawt vi ich nett funn di veld binn. 17 Mach si heilich deich dei voahheit; dei Vatt is di voahheit. 18 Vi du mich in di veld kshikt hosht, so habb ich si in di veld kshikt. 19 Un fa si doon ich mich heilich shtella, so es si aw heilich kshteld vadda in di voahheit. 20 Ich bayt nett yusht fa dee, avvah aw fa selli vo glawva zayla an mich deich iahra vatt, 21 so es si awl ayns sinn, grawt vi du, Faddah, in miah bisht, un ich in diah. So es si aw ayns in uns sei kenna, un es di veld glawva kann es du mich kshikt hosht.

world, and I come to thee. Holy Father, keep through thine own name those whom thou hast given me, that they may be one, as we *are*. **12** While I was with them in the world, I kept them in thy name: those that thou gavest me I have kept, and none of them is lost, but the son of perdition; that the scripture might be fulfilled. **13** And now come I to thee; and these things I speak in the world, that they might have my joy fulfilled in themselves. **14** I have given them thy word; and the world hath hated them, because they are not of the world, even as I am not of the world. **15** I pray not that thou shouldest take them out of the world, but that thou shouldest keep them from the evil. **16** They are not of the world, even as I am not of the world. **17** Sanctify them through thy truth: thy word is truth. **18** As thou hast sent me into the world, even so have I also sent them into the world. **19** And for their sakes I sanctify myself, that they also might be sanctified through the truth. **20** Neither pray I for these alone, but for them also which shall believe on me through their word; **21** That they all may be one; as thou, Father, *art* in me, and I in thee, that they also may be one in us: that the world may believe that thou hast sent me.

17:14 To no longer be part of this world is to be hated by it. Nonbelievers will hate Christians because they are no longer part of this world. EM

17:16 Four thousand years before this day, God promised a Savior (Gen 3:15). The Savior finally came, and John, throughout his letter, wrote three times (2:4, 7:30 and 8:20): mine/His hour was not yet come. Finally, we get to 12:23, 12:27, and 17:1, and John wrote "the hour is come." This serves as a reminder that even though God lives in eternity, He is always right on time. See Gal 4:4 also. JK

17:16 This verse reminds me of another letter that John wrote. It reads: 1 John 5:4-5 "For whatsoever is born of God overcometh the world: and this is the victory that overcometh the world, even our faith. Who is he that overcometh the world, but he that believeth that Jesus is the Son of God?" JK

17:20 Jesus prayed for us even before we believed on him. JZ

22 Und ich hab' ihnen gegeben die HERRLIchkeit, die du mir gegeben hast, daß sie eins seien, gleichwie wir eins sind, 23 ich in ihnen und du in mir, auf daß sie vollkommen seien in eins, und die Welt erkenne, daß du mich gesandt hast und liebest sie, gleichwie du mich liebest. 24 Vater, ich will, daß, wo ich bin, auch die bei mir seien, die du mir gegeben hast, daß sie meine HERRLIchkeit sehen, die du mir gegeben hast; denn du hast mich geliebet, ehe denn die Welt gegründet ward. 25 Gerechter Vater, die Welt kennet dich nicht; ich aber kenne dich, und diese erkennen, daß du mich gesandt hast. 26 Und ich habe ihnen deinen Namen kundgetan und will ihnen kundtun, auf daß die Liebe, damit du mich liebest, sei in ihnen und ich in ihnen.

18:1 Da Jesus solches geredet hatte, ging er hinaus mit seinen Jüngern über den Bach Kidron. Da war ein Garten, darein ging Jesus und seine Jünger. 2 Judas aber, der ihn verriet, wußte den Ort auch; denn Jesus versammelte sich oft daselbst mit seinen Jüngern. 3 Da nun Judas zu sich hatte genommen die Schar und der Hohenpriester und Pharisäer Diener, kommt er dahin mit Fackeln, Lampen und mit Waffen.

22 Di hallichkeit vass du miah gevva hosht habb ich eena gevva, so es si ayns sinn vi miah ayns sinn. 23 Ich binn in eena un du bisht in miah, so es si gans ayns vadda, un es di veld vissa kann es du mich kshikt hosht; un aw es du si gleebt hosht vi du mich gleebt hosht. 24 Faddah, du hosht si zu miah gevva, un ich hett geahn es si bei miah sinn vo ich binn, so es si mei hallichkeit sayna kenna, di hallichkeit vo du miah gevva hosht. Fa du hosht mich gleebt eb di veld gmacht voah. 25 Oh gerechtah Faddah, di veld kend dich nett, avvah ich kenn dich, un dee vissa es du mich kshikt hosht. 26 Ich habb dei nohma vissa glost zu eena. Un ich vill ohhalda so du. Dess is so es di leevi vass du hosht fa mich aw in eena is, un so es ich aw in eena binn."

18:1 Noch demm es Jesus dee vadda ksawt katt hott is eah un sei yingah ivvah di grikk Kidron ganga, un datt voah en goahra es eah un sei yingah nei ganga sinn. 2 Da Judas, deah vo een farohda hott, hott gvist funn demm blatz, veil Jesus oft datt nei ganga is mitt sei yingah. 3 Da Judas is no datt hee ganga mitt en drubb greeks-gnechta, un deensht-leit funn di hohchen-preeshtah un Pharisayah. Si sinn datt hee ganga mitt ladanna un feiyah-shtekka un mitt greeks-ksha.

22 And the glory which thou gavest me I have given them; that they may be one, even as we are one: **23** I in them, and thou in me, that they may be made perfect in one; and that the world may know that thou hast sent me, and hast loved them, as thou hast loved me. **24** Father, I will that they also, whom thou hast given me, be with me where I am; that they may behold my glory, which thou hast given me: for thou lovedst me before the foundation of the world. **25** O righteous Father, the world hath not known thee: but I have known thee, and these have known that thou hast sent me. **26** And I have declared unto them thy name, and will declare *it*: that the love wherewith thou hast loved me may be in them, and I in them.

18:1 When Jesus had spoken these words, he went forth with his disciples over the brook Cedron, where was a garden, into the which he entered, and his disciples. **2** And Judas also, which betrayed him, knew the place: for Jesus ofttimes resorted thither with his disciples. **3** Judas then, having received a band *of men* and officers from the chief priests and Pharisees, cometh thither with lanterns and torches and weapons.

17:23 Jesus prayed that all Christians in the world would walk in perfect unity as He and the Father. That prayer was answered by the reality of 1 Cor. 12:12-13; Eph. 2:14-22. Glory to God! JK

17:26 Thank you, God, for giving us Jesus that we might know You and Your love for us. EM

18:3 Wonder what Judas was feeling in his heart at this very moment? You think he had his mind set on the money he was getting for this wicked deal? Maybe he was angry with Jesus and the other apostles and this was one way to get even with them? Regardless, he is moments away from betraying God's only Son. I do not believe Judas ever saw Jesus as the Christ, the Savior, sent from God. JK

4 Als nun Jesus wußte alles, was ihm begegnen sollte, ging er hinaus und sprach zu ihnen: Wen suchet ihr? 5 Sie antworteten ihm: Jesum von Nazareth. Jesus spricht zu ihnen: Ich bin's. Judas aber, der ihn verriet, stund auch bei ihnen. 6 Als nun Jesus zu ihnen sprach: Ich bin's, wichen sie zurück und fielen zu Boden. 7 Da fragte er sie abermal: Wen suchet ihr? Sie aber sprachen: Jesum von Nazareth. 8 Jesus antwortete: Ich hab's euch gesagt, daß ich es sei. Suchet ihr denn mich, so lasset diese gehen 9 (auf daß das Wort erfüllet würde, welches er sagte: Ich habe der keinen verloren, die du mir gegeben hast). 10 Da hatte Simon Petrus ein Schwert und zog es aus und schlug nach des Hohenpriesters Knecht und hieb ihm sein rechtes Ohr ab; und der Knecht hieß Malchus. 11 Da sprach Jesus zu Petrus: Stecke dein Schwert in die Scheide! Soll ich den Kelch nicht trinken, den mir mein Vater gegeben hat? 12 Die Schar aber und der Oberhauptmann und die Diener der Juden nahmen Jesum und banden ihn 13 und führeten ihn aufs erste zu Hannas; der war des Kaiphas Schwäher, welcher des Jahrs Hoherpriester war. 14 Es war aber Kaiphas, der den Juden riet, es wäre gut, daß ein Mensch würde umgebracht

4 Jesus hott gvist vass es gevva zayld mitt eem, no is eah faddi kumma un hott ksawt, "Veah sind diah am gukka difoah?" 5 Si henn ksawt zu eem, "Jesus funn Nazareth." Jesus hott ksawt zu eena, "Ich binn een." Da Judas, vo een farohda hott, voah aw bei eena kshtanna. 6 Vo Jesus ksawt katt hott, "Ich binn een," sinn si hinnahsich ganga un sinn uf da bodda kfalla. 7 Eah hott si no viddah kfrohkt, "Veah sind diah am gukka difoah?" Un si henn ksawt, "Jesus funn Nazareth." 8 Jesus hott ksawt, "Ich habb eich ksawt es ich binn een. Vann diah mich vellet, losset dee anra gay." 9 Dess voah so es di vadda folfild vadda sella es eah ksawt katt hott, "Ich habb kens funn denna faloahra vass du miah gevva hosht." 10 Da Simon Petrus hott en shvatt katt. Eah hott's raus gezowwa, hott noch em hohchen-preeshtah sei gnecht kshlauwa, un hott sei rechts oah abkakt. Em gnecht sei nohma voah Malchus. 11 No hott Jesus zumm Petrus ksawt, "Du dei shvatt zrikk nei. Soll ich nett dess kobli drinka es da Faddah miah gevva hott?" 12 Di drubb greeks-gnechta, iahra ivvah-saynah un di deensht-leit funn di Yudda henn Jesus no gnumma un henn een gebunna. 13 No henn si een seahsht zumm Hannas gnumma veil eah em Kaiphas sei fraw iahra faddah voah, un da Kaiphas voah da haychsht hohchen-preeshtah sell yoah. 14 Es voah da Kaiphas vo di Yudda da roht gevva hott es es veah

4 Jesus therefore, knowing all things that should come upon him, went forth, and said unto them, Whom seek ye? **5** They answered him, Jesus of Nazareth. Jesus saith unto them, I am *he*. And Judas also, which betrayed him, stood with them. **6** As soon then as he had said unto them, I am *he*, they went backward, and fell to the ground. **7** Then asked he them again, Whom seek ye? And they said, Jesus of Nazareth. **8** Jesus answered, I have told you that I am *he*: if therefore ye seek me, let these go their way: **9** That the saying might be fulfilled, which he spake, Of them which thou gavest me have I lost none. **10** Then Simon Peter having a sword drew it, and smote the high priest's servant, and cut off his right ear. The servant's name was Malchus. **11** Then said Jesus unto Peter, Put up thy sword into the sheath: the cup which my Father hath given me, shall I not drink it? **12** Then the band and the captain and officers of the Jews took Jesus, and bound him, **13** And led him away to Annas first; for he was father in law to Caiaphas, which was the high priest that same year. **14** Now Caiaphas was he, which gave counsel to the Jews, that it was expedient that one man

18:4 The Father and His Son Jesus had discussed this thousands of years before. It was all planned out. Nothing came as a surprise. Even now, there is no way anyone in this world can surprise Jesus. He is all knowing. JK

18:5 Jesus actually just said, "I AM." The same name that God told Moses to use as he went to the people and led them out of Egypt (Exodus 3:14). It was at this name that the mob fell down. EM

18:6 Whenever you read of people falling backward in the Bible, it was a sign of judgment. When you read of people falling forward, it was a sign of humility and worship. JK

18:6 I find it amazing that they were so overcome that they fell to the ground, but still went ahead with their plans to kill Jesus. JZ

18:10 I think Peter needs to work on his aim. EM

18:12 What do you use to bind the hands of Him who created all things and who upholds the universe? His hands were bound by His own love for us that His justice might be satisfied and His holiness not violated. EM

für das Volk. 15 Simon Petrus aber folgte Jesu nach und ein anderer Jünger. Derselbige Jünger war dem Hohenpriester bekannt und ging mit Jesu hinein in des Hohenpriesters Palast. 16 Petrus aber stund draußen vor der Tür. Da ging der andere Jünger, der dem Hohenpriester bekannt war, hinaus und redete mit der Türhüterin und führete Petrus hinein. 17 Da sprach die Magd, die Türhüterin zu Petrus: Bist du nicht auch dieses Menschen Jünger einer? Er sprach: Ich bin's nicht. 18 Es stunden aber die Knechte und Diener und hatten ein Kohlenfeuer gemacht (denn es war kalt) und wärmeten sich. Petrus aber stund bei ihnen und wärmete sich. 19 Aber der Hohepriester fragte Jesum um seine Jünger und um seine Lehre. 20 Jesus antwortete ihm: Ich habe frei öffentlich geredet vor der Welt. Ich habe allezeit gelehret in der Schule und in dem Tempel, da alle Juden zusammenkommen, und habe nichts im Verborgenen geredet. 21 Was fragest du mich darum? Frage die darum, die gehöret haben, was ich zu ihnen geredet habe. Siehe, dieselbigen wissen, was ich gesagt habe.

bessah vann ay mann shtauva dayt fa awl di leit. 15 Da Simon Petrus is Jesus nohch ganga, un so is aw ayns funn di anra yingah. Sellah yingah voah bekand gvest zumm hohchen-preeshtah, un fasell hott eah kenna im hohchen-preeshtah sei haus-hohf nei gay mitt Jesus, 16 avvah da Petrus hott draus am doah kshtanna. No is da annah yingah, deah vo da hohchen-preeshtah gekend hott, naus ganga un hott kshvetzt zumm maydel vo's doah gvatsht hott, un eah hott no da Petrus rei gebrocht. 17 Es maydel vo's doah gvatsht hott, hott ksawt zumm Petrus, "Bisht du nett aw ayns funn demm mann sei yingah?" Eah hott ksawt, "Ich binn nett." 18 Nau di gnechta un di ivvah-saynah henn en kohla feiyah gmacht katt veil's kald voah, un si henn drumm rumm kshtanna am sich veahma. Da Petrus voah aw datt bei eena kshtanna am sich veahma. 19 Da hohchen-preeshtah hott no Jesus kfrohkt veyyich sei yingah un veyyich sei gebreddich. 20 Jesus hott ksawt zu eem, "Ich habb grawt fanna rumm kshvetzt zu di veld. Ich habb gebreddicht in di Yudda gmay-heisah un im tempel vo awl di Yudda zammah kumma, un ich habb nix hinna rumm ksawt. 21 Favass frohksht du mich? Frohk selli vo mich keaht henn vass ich ksawt habb zu eena. Si vissa vass ich ksawt habb."

should die for the people. **15** And Simon Peter followed Jesus, and *so did* another disciple: that disciple was known unto the high priest, and went in with Jesus into the palace of the high priest. **16** But Peter stood at the door without. Then went out that other disciple, which was known unto the high priest, and spake unto her that kept the door, and brought in Peter. **17** Then saith the damsel that kept the door unto Peter, Art not thou also *one* of this man's disciples? He saith, I am not. **18** And the servants and officers stood there, who had made a fire of coals; for it was cold: and they warmed themselves: and Peter stood with them, and warmed himself. **19** The high priest then asked Jesus of his disciples, and of his doctrine. **20** Jesus answered him, I spake openly to the world; I ever taught in the synagogue, and in the temple, whither the Jews always resort; and in secret have I said nothing. **21** Why askest thou me? ask them which heard me, what I have said unto them: behold, they know what I said.

18:17 This is lie number 1. EM

22 Als er aber solches redete, gab der Diener einer, die dabeistunden, Jesu einen Backenstreich und sprach: Sollst du dem Hohenpriester also antworten? 23 Jesus antwortete: Hab' ich übel geredet, so beweise es, daß es böse sei; habe ich aber recht geredet, was schlägest du mich? 24 Und Hannas sandte ihn gebunden zu dem Hohenpriester Kaiphas. 25 Simon Petrus aber stund und wärmete sich. Da sprachen sie zu ihm: Bist du nicht seiner Jünger einer? Er verleugnete aber und sprach: Ich bin's nicht. 26 Spricht des Hohenpriesters Knechte einer, ein Gefreundeter des, dem Petrus das Ohr abgehauen hatte: Sah ich dich nicht im Garten bei ihm? 27 Da verleugnete Petrus abermal; und alsbald krähete der Hahn. 28 Da führeten sie Jesum von Kaiphas vor das Richthaus. Und es war früh. Und sie gingen nicht in das Richthaus, auf daß sie nicht unrein würden, sondern Ostern essen möchten. 29 Da ging Pilatus zu ihnen heraus und sprach: Was bringet ihr für Klage wider diesen Menschen? 30 Sie antworteten und sprachen zu ihm: Wäre dieser nicht ein Übeltäter wir hätten dir ihn nicht überantwortet.

22 Vo eah dess ksawt katt hott, hott ayns funn di greeks-deenah vo datt kshtanna hott, Jesus kshlauwa mitt di hand un hott ksawt, "Is sell vi ma andvat gebt zumm haychshta hohchen-preeshtah?" 23 Jesus hott ksawt zu eem, "Vann ich ebbes letzes ksawt habb, sawk miah vass es is. Avvah vann ich rechti sacha ksawt habb, favass shlaksht du mich?" 24 Da Hannas hott een no binna glost un hott een zumm Kaiphas, da hohchen-preeshtah kshikt. 25 Da Simon Petrus hott alsnoch beim feiyah kshtanna am sich veahma. No henn si ksawt zu eem, "Bisht du nett aw ayns funn sei yingah?" Eah hott's falaykeld un hott ksawt, "Ich binn nett." 26 Ayns fumm hohchen-preeshtah sei gnechta, es in difreind voah mitt demm mann vo's oah abkakt grikt hott beim Petrus, hott kfrohkt, "Habb ich dich nett ksenna im goahra bei eem?" 27 Da Petrus hott's viddah falaykeld, un grawt no hott da hohna gegrayt. 28 Si henn no Jesus fumm Kaiphas sei haus gnumma un henn een nivvah gnumma zumm Pilawtus sei richt-haus. Es voah free meiyets. Si selvaht sinn nett in's richt-haus ganga, so es si nett unrein vadda veil si's Passa-Lamm essa henn vella. 29 No is da Pilawtus naus zu eena kumma un hott ksawt, "Vass doond diah deah mann pshuldicha diveyya?" 30 Si henn ksawt zu eem, "Vann deah mann kenn evilah mensh veah, hedda miah een nett ivvah-gevva zu diah."

22 And when he had thus spoken, one of the officers which stood by struck Jesus with the palm of his hand, saying, Answerest thou the high priest so? **23** Jesus answered him, If I have spoken evil, bear witness of the evil: but if well, why smitest thou me? **24** Now Annas had sent him bound unto Caiaphas the high priest. **25** And Simon Peter stood and warmed himself. They said therefore unto him, Art not thou also *one* of his disciples? He denied *it*, and said, I am not. **26** One of the servants of the high priest, being *his* kinsman whose ear Peter cut off, saith, Did not I see thee in the garden with him? **27** Peter then denied again: and immediately the cock crew. **28** Then led they Jesus from Caiaphas unto the hall of judgment: and it was early; and they themselves went not into the judgment hall, lest they should be defiled; but that they might eat the passover. **29** Pilate then went out unto them, and said, What accusation bring ye against this man? **30** They answered and said unto him, If he were not a malefactor, we would not have delivered him up unto thee.

18:22 Mr. Officer, do you realize who you just struck with your hand? Obviously not, or you would have fallen at His feet and worshiped Him as the King of kings and Lord of lords. You would have trembled and shook, knowing that this man whom you hit has the power to cast you into hell forever and ever. What a fool you are, Mr. Officer. JK

18:25 This is lie number 2. EM

18:26-27 Lie number 3. Peter was much less of a faithful follower of Jesus than he thought he was. EM

31 Da sprach Pilatus zu ihnen: So nehmet ihr ihn hin und richtet ihn nach eurem Gesetz. Da sprachen die Juden zu ihm: Wir dürfen niemand töten 32 (auf daß erfüllet würde das Wort Jesu, welches er sagte, da er deutete, welches Todes er sterben würde). 33 Da ging Pilatus wieder hinein ins Richthaus und rief Jesu und sprach zu ihm: Bist du der Juden König? 34 Jesus antwortete: Redest du das von dir selbst, oder haben's dir andere von mir gesagt? 35 Pilatus antwortete: Bin ich ein Jude? Dein Volk und die Hohenpriester haben dich mir überantwortet; was hast du getan? 36 Jesus antwortete: Mein Reich ist nicht von dieser Welt. Wäre mein Reich von dieser Welt, meine Diener würden drob kämpfen, daß ich den Juden nicht überantwortet würde; aber nun ist mein Reich nicht von dannen. 37 Da sprach Pilatus zu ihm: So bist du dennoch ein König? Jesus antwortete: Du sagst es, ich bin ein König. Ich bin dazu geboren und in die Welt kommen, daß ich die Wahrheit zeugen soll. Wer aus der Wahrheit ist, der höret meine Stimme. 38 Spricht Pilatus zu ihm: Was ist Wahrheit? Und da er das gesagt, ging er wieder hinaus zu den Juden und spricht zu ihnen: Ich finde keine

31 Da Pilawtus hott no ksawt zu eena, "Nemmet een un richtet een noch eiyahm Ksetz." Avvah di Yudda henn ksawt zu eem, "Miah sinn nett alawbt fa ebbah doht macha." 32 Dess voah fa Jesus sei vadda folfilla, vo eah fanna naus ksawt katt hott vass fa'n doht es eah shtauva zayld. 33 Da Pilawtus is no viddah in's richt-haus nei ganga un hott Jesus groofa un hott ksawt zu eem, "Bisht du da Kaynich funn di Yudda?" 34 Jesus hott ksawt zu eem, "Sawksht du dess funn diah selvaht, adda henn anri dess ksawt zu diah veyyich miah?" 35 Da Pilawtus hott ksawt, "Binn ich en Yutt? Dei aykni leit un di hohchenpreeshtah henn dich ivvah-gedrayt zu miah. Vass hosht du gedu?" 36 Jesus hott ksawt, "Mei Kaynich-Reich is nett funn dee veld. Vann mei Kaynich-Reich funn dee veld veah, dayda mei gnechta fechta so es ich nett ivvah-gedrayt vadda dayt zu di Yudda. Avvah mei Kaynich-Reich is nett funn deahra veld." 37 Da Pilawtus hott no ksawt zu eem, "Dann bisht du en kaynich?" Jesus hott ksawt, "Du sawksht es ich en kaynich binn. Fa dess voah ich geboahra, un fa dess binn ich in di veld kumma, fa zeiknis gevva zu di voahheit. Alli-ebbah es funn di voahheit is, heaht mei shtimm." 38 Da Pilawtus hott ksawt zu eem, "Vass is voahheit?" Noch demm es eah dess ksawt hott, is eah viddah naus zu di Yudda ganga un hott eena ksawt, "Eah hott nix

31 Then said Pilate unto them, Take ye him, and judge him according to your law. The Jews therefore said unto him, It is not lawful for us to put any man to death: **32** That the saying of Jesus might be fulfilled, which he spake, signifying what death he should die. **33** Then Pilate entered into the judgment hall again, and called Jesus, and said unto him, Art thou the King of the Jews? **34** Jesus answered him, Sayest thou this thing of thyself, or did others tell it thee of me? **35** Pilate answered, Am I a Jew? Thine own nation and the chief priests have delivered thee unto me: what hast thou done? **36** Jesus answered, My kingdom is not of this world: if my kingdom were of this world, then would my servants fight, that I should not be delivered to the Jews: but now is my kingdom not from hence. **37** Pilate therefore said unto him, Art thou a king then? Jesus answered, Thou sayest that I am a king. To this end was I born, and for this cause came I into the world, that I should bear witness unto the truth. Every one that is of the truth heareth my voice. **38** Pilate saith unto him, What is truth? And when he had said this, he went out again unto the Jews, and saith unto them, I find in

18:32 There are so many prophecies being fulfilled here in such a short period of time, and the people had no idea that they are doing it. EM

18:36 Jesus was speaking of a spiritual kingdom. However, there is coming a time when Jesus will come and establish His physical kingdom on earth, and then there will be physical fighting (Revelation 19:11-12). JK

18:37 The best way to understand or explain this verse is to understand what the apostle Paul wrote in 1 Corinthians 2:14: "But the natural man receiveth not the things of the Spirit of God: for they are foolishness unto him: neither can he know them, because they are spiritually discerned." JK

18:38 What Pilate did not understand was that he was looking and speaking with truth. EM

18:38 It seems Pilate was less wrong than the Jews, as he really didn't want to crucify Jesus. In a way, I admire him. JZ

Schuld an ihm. 39 Ihr habt aber eine Gewohnheit, daß ich euch einen auf Ostern losgebe; wollt ihr nun, daß ich euch der Juden König losgebe? 40 Da schrieen sie wieder allesamt und sprachen: Nicht diesen, sondern Barabbas. Barabbas aber war ein Mörder.

19:1 Da nahm Pilatus Jesum und geißelte ihn. 2 Und die Kriegsknechte flochten eine Krone von Dornen und setzten sie auf sein Haupt und legten ihm ein Purpurkleid an 3 und sprachen: Sei gegrüßet, lieber Judenkönig! und gaben ihm Backenstreiche. 4 Da ging Pilatus wieder heraus und sprach zu ihnen: Sehet, ich führe ihn heraus zu euch, daß ihr erkennet, daß ich keine Schuld an ihm finde. 5 Also ging Jesus heraus und trug eine Dornenkrone und Purpurkleid. Und er spricht zu ihnen: Sehet, welch ein Mensch! 6 Da ihn die Hohenpriester und die Diener sahen, schrieen sie und sprachen: Kreuzige, kreuzige! Pilatus spricht zu ihnen: Nehmet ihr ihn hin und kreuziget; denn ich finde keine Schuld an ihm. 7 Die Juden antworteten ihm: Wir haben ein Gesetz, und nach dem Gesetz soll er sterben; denn er hat sich selbst zu Gottes Sohn gemacht.

letzes gedu es ich finna kann. 39 Avvah diah hend en gebrauch es ich en mann frei loss fa eich am Ohshtah-Fesht. Vellet diah havva es ich da Kaynich funn di Yudda frei loss?" 40 No henn si viddah naus gegrisha, "Nett deah mann, avvah da Barabbas!" Nau da Barabbas voah en rawvah.

19:1 No hott da Pilawtus Jesus gnumma un hott een gayshla glost. 2 Un di greeks-gnechta henn en krohn kflochta funn danna un henn en uf sei kobb gedu, un henn eem en purpel glayt ohgedu. 3 Si sinn nuff ganga zu eem un henn een fashpott un henn ksawt, "Gukk moll, da Yudda Kaynich!" Un si henn een kshlauwa mitt iahra hend. 4 No is da Pilawtus viddah naus ganga un hott ksawt zu eena, "Gukket, ich binn am een raus bringa zu eich, so es diah visset es ich nix letz finn mitt eem." 5 No is Jesus raus kumma un voah am en krohn funn danna veahra un en purpelah rokk. Da Pilawtus hott ksawt zu eena, "Gukket moll, vass fa en mensh!" 6 Vo di hohchen-preeshtah un iahra deensht-leit een ksenna henn, henn si naus gegrisha, "Greitzich een, greitzich een!" Da Pilawtus hott ksawt zu eena, "Nemmet een selvaht un greitzichet een. Ich finn nix letz mitt eem." 7 Di Yudda henn ksawt zu eem, "Miah henn en Ksetz, un bei sellem Ksetz sett eah doht gmacht vadda, veil eah sich selvaht Gottes Sohn gmacht hott."

him no fault *at all*. **39** But ye have a custom, that I should release unto you one at the passover: will ye therefore that I release unto you the King of the Jews? **40** Then cried they all again, saying, Not this man, but Barabbas. Now Barabbas was a robber.

19:1 Then Pilate therefore took Jesus, and scourged *him*. **2** And the soldiers platted a crown of thorns, and put *it* on his head, and they put on him a purple robe, **3** And said, Hail, King of the Jews! and they smote him with their hands. **4** Pilate therefore went forth again, and saith unto them, Behold, I bring him forth to you, that ye may know that I find no fault in him. **5** Then came Jesus forth, wearing the crown of thorns, and the purple robe. And *Pilate* saith unto them, Behold the man! **6** When the chief priests therefore and officers saw him, they cried out, saying, Crucify *him*, crucify *him*. Pilate saith unto them, Take ye him, and crucify *him*: for I find no fault in him. **7** The Jews answered him, We have a law, and by our law he ought to die, because he made himself the Son of God.

19:2-3 I cannot imagine being the God of the universe and letting people do this to me without doing something about it. How deep is Christ's love for His people! EM

19:6 Can you imagine what these men felt like at "that moment" they drew their last breath on earth and instantly stood before the One they crucified? Even as you read this, these men stand in eternity, separated from God, ready to be cast into the lake of fire. JK

19:7 Whose law? Really! So Jesus Christ was beaten, spit on, mocked, and crucified, based on the fact that He did not measure up to a man-made law? Wow! I have a question for you: If Jesus walked into your church service, would He fit in? Or would your man-made law judge and condemn Him? JK

8 Da Pilatus das Wort hörete, fürchtete er sich noch mehr 9 und ging wieder hinein in das Richthaus und spricht zu Jesu: Von wannen bist du? Aber Jesus gab ihm keine Antwort. 10 Da sprach Pilatus zu ihm: Redest du nicht mit mir? Weißt du nicht, daß ich Macht habe, dich zu kreuzigen, und Macht habe, dich loszugeben? 11 Jesus antwortete: Du hättest keine Macht über mich, wenn sie dir nicht wäre von oben herab gegeben; darum, der mich dir überantwortet hat, der hat größere Sünde. 12 Von dem an trachtete Pilatus, wie er ihn losließe. Die Juden aber schrieen und sprachen: Lässest du diesen los, so bist du des Kaisers Freund nicht; denn wer sich zum Könige macht, der ist wider den Kaiser. 13 Da Pilatus das Wort hörete, führete er Jesum heraus und setzte sich auf den Richterstuhl an der Stätte, die da heißt Hochpflaster, auf ebräisch aber Gabbatha. 14 Es war aber der Rüsttag auf Ostern um die sechste Stunde. Und er spricht zu den Juden: Sehet, das ist euer König! 15 Sie schrieen aber: Weg, weg mit dem, kreuzige ihn! Spricht Pilatus zu ihnen: Soll ich euren König kreuzigen? Die Hohenpriester antworteten: Wir haben keinen König denn den Kaiser.

8 Vo da Pilawtus selli vadda keaht hott, hott eah sich yusht noch eiyah kfeicht. 9 No is eah viddah nei in's richt-haus ganga un hott ksawt zu Jesus, "Funn vo bisht du?" Avvah Jesus hott eem kenn andvat gevva. 10 Fasell hott da Pilawtus ksawt zu eem, "Shvetsht du nett zu miah? Vaysht du nett es ich di macht habb fa dich gay lossa, un aw di macht fa dich greitzicha?" 11 Jesus hott eem ksawt, "Du hetsht kenn macht ivvah mich unni es es gevva veah funn ovva-heah. Fasell hott deah vo mich ivvah-gedrayt hott zu diah en graysahri sind." 12 Noch sellem hott da Pilawtus broviaht een frei gay lossa, avvah di Yudda henn naus gegrisha, "Vann du deah mann gay losht, bisht du kenn freind fumm Kaisah. Ennich ebbah es sich en kaynich macht, setzt sich uf geyyich da Kaisah." 13 Vo da Pilawtus dee vadda keaht hott, hott eah Jesus raus gebrocht, hott sich uf da richtah-shtool kokt an en blatz vo Shtay-Blatz kaysa hott, un in di Hebrayich shprohch, Gabbatha. 14 Nau's voah da dawk fa rishta fa's Ohshtah-Fesht, un's voah shiah goah middawk. No hott da Pilawtus ksawt zu di Yudda, "Do is eiyah kaynich!" 15 Si henn naus gegrisha, "Vekk mitt eem, vekk mitt eem, greitzich een!" Da Pilawtus hott ksawt zu eena, "Soll ich eiyah kaynich greitzicha?" Di hohchen-preeshtah henn ksawt, "Miah henn kenn kaynich unni da Kaisah."

8 When Pilate therefore heard that saying, he was the more afraid; **9** And went again into the judgment hall, and saith unto Jesus, Whence art thou? But Jesus gave him no answer. **10** Then saith Pilate unto him, Speakest thou not unto me? knowest thou not that I have power to crucify thee, and have power to release thee? **11** Jesus answered, Thou couldest have no power *at all* against me, except it were given thee from above: therefore he that delivered me unto thee hath the greater sin. **12** And from thenceforth Pilate sought to release him: but the Jews cried out, saying, If thou let this man go, thou art not Caesar's friend: whosoever maketh himself a king speaketh against Caesar. **13** When Pilate therefore heard that saying, he brought Jesus forth, and sat down in the judgment seat in a place that is called the Pavement, but in the Hebrew, Gabbatha. **14** And it was the preparation of the passover, and about the sixth hour: and he saith unto the Jews, Behold your King! **15** But they cried out, Away with *him*, away with *him*, crucify him. Pilate saith unto them, Shall I crucify your King? The chief priests answered, We have no king but Caesar.

19:10 This is creation speaking to their Creator (Col. 1:16) and not having a clue what they were saying or doing. Surely this day would go down in time as the saddest day that ever was. JK

19:11 I am reminded of John 10:18 where Jesus said, "No man taketh it from me, but I lay it down of myself. I have power to lay it down, and I have power to take it again." JK

19:12 But he would have been a friend of God. EM

19:15 I'm glad Jesus was crucified for our sins, but it's too bad these men didn't know Him as King. JZ

16 Da überantwortete er ihn ihnen, daß er gekreuzigt würde. Sie nahmen aber Jesum und führeten ihn hin. 17 Und er trug sein Kreuz und ging hinaus zur Stätte die da heißt Schädelstätte, welche heißt auf ebräisch Golgatha. 18 Allda kreuzigten sie ihn und mit ihm zwei andere zu beiden Seiten, Jesum aber mitten inne. 19 Pilatus aber schrieb eine Überschrift und setzte sie auf das Kreuz; und war geschrieben: Jesus von Nazareth, der Juden König. 20 Diese Überschrift lasen viel Juden; denn die Stätte war nahe bei der Stadt, da Jesus gekreuziget ist. Und es war geschrieben auf ebräische, griechische und lateinische Sprache. 21 Da sprachen die Hohenpriester der Juden zu Pilatus: Schreibe nicht: Der Juden König; sondern daß er gesagt habe: Ich bin der Juden König. 22 Pilatus antwortete: Was ich geschrieben habe, das hab' ich geschrieben. 23 Die Kriegsknechte aber, da sie Jesum gekreuziget hatten, nahmen sie seine Kleider und machten vier Teile, einem jeglichen Kriegsknecht ein Teil, dazu auch den Rock. Der Rock aber war ungenähet, von oben an gewirket durch und durch. 24 Da sprachen sie untereinander: Lasset uns den nicht zerteilen, sondern darum losen, wes er sein soll (auf daß erfüllet würde die Schrift, die da, sagt: Sie haben

16 No hott eah Jesus ivvah-gevva zu eena fa greitzicha. Un si henn no Jesus gnumma un henn een vekk kfiaht. 17 Eah is naus ganga am sei ayya greitz drawwa an en blatz es Shkoll-blatz kaysa hott, un in di Hebrayish shprohch, Golgotha. 18 Datt henn si een gegreitzicht, un zvay anri mitt eem, aynah uf yaydah seit, un Jesus zvisha drinn. 1 9 Da Pilawtus hott en shreives kshrivva un hott's uf's greitz gedu. Es hott glaysa, "JESUS FUNN NAZARETH, DA KAYNICH FUNN DI YUDDA." 20 Feel funn di Yudda henn dess shreives glaysa, veil da blatz vo Jesus gegreitzicht voah nayksht an di shtatt voah, un's voah kshrivva in di Hebrayish, in di Greeyish un in di Ladeinish shprohcha. 21 Di hohchen-preeshtah funn di Yudda henn no ksawt zumm Pilawtus, "Shreib nett 'Da Kaynich funn di Yudda,' avvah, 'Deah mann hott ksawt, "Ich binn da Kaynich funn di Yudda."'" 22 Da Pilawtus hott ksawt, "Vass ich kshrivva habb, bleibt kshrivva." 23 Vo di greeksgnechta Jesus gegreitzicht katt henn, henn si sei glaydah gnumma un henn si fadayld in fiah daylah, ayns fa yaydah gnecht. Avvah sei rokk voah in aym shtikk duch un voah nett zammah gnayt funn ovva biss gans nunnah. 24 No henn si ksawt zu nannah, "Vella deah nett fareisa, avvah vella zeeya in en lohs fa sayna vemm deah sei zayld." Dess voah fa di Shrift

16 Then delivered he him therefore unto them to be crucified. And they took Jesus, and led *him* away. **17** And he bearing his cross went forth into a place called *the place* of a skull, which is called in the Hebrew Golgotha: **18** Where they crucified him, and two other with him, on either side one, and Jesus in the midst. **19** And Pilate wrote a title, and put *it* on the cross. And the writing was, JESUS OF NAZARETH THE KING OF THE JEWS. **20** This title then read many of the Jews: for the place where Jesus was crucified was nigh to the city: and it was written in Hebrew, *and* Greek, *and* Latin. **21** Then said the chief priests of the Jews to Pilate, Write not, The King of the Jews; but that he said, I am King of the Jews. **22** Pilate answered, What I have written I have written. **23** Then the soldiers, when they had crucified Jesus, took his garments, and made four parts, to every soldier a part; and also *his* coat: now the coat was without seam, woven from the top throughout. **24** They said therefore among themselves, Let us not rend it, but cast lots for it, whose it shall be: that the scripture might be fulfilled, which saith, They parted my raiment among them, and for

19:18 They sandwiched Jesus between two thieves that day. While all the apostles ran and hid themselves, and the religious men had finally gotten their way, and Satan was having a heyday, it seemed as if Jesus had lost the game. The same could be said for our day. At times it appears as if the world is winning and Christianity is loosing. But then we all know the end of the story. JK

19:22 It seems Pilate knew Jesus really is the King. JZ

19:24 You know what's so amazing about this verse? King David prophesied (spoke) of this event many generations before in Psalm 22:18; it reads, "They part my garments among them, and cast lots upon my vesture." JK

meine Kleider unter sich getei-
let und haben über meinen Rock
das Los geworfen). Solches
taten die Kriegsknechte. 25
Es stund aber bei dem Kreuze
Jesu seine Mutter und seiner
Mutter Schwester Maria,
des Kleophas Weib, und
Maria Magdalena. 26 Da
nun Jesus seine Mutter sah
und den Jünger dabeistehen,
den er liebhatte spricht er zu
seiner Mutter: Weib, siehe
das ist dein Sohn! 27 Danach
spricht er zu dem Jünger siehe,
das ist deine Mutter! Und von
der Stunde an nahm sie der
Jünger zu sich. 28 Danach,
als Jesus wußte, daß schon
alles vollbracht war, daß die
Schrift erfüllet würde, spricht
er: Mich dürstet! 29 Da stund
ein Gefäß voll Essigs. Sie aber
fülleten einen Schwamm mit
Essig und legten ihn um einen
Ysop und hielten es ihm dar
zum Munde. 30 Da nun Jesus
den Essig genommen hatte,
sprach er: Es ist vollbracht!
Und neigete das Haupt und
verschied. 31 Die Juden aber;
dieweil es der Rüsttag war daß
nicht die Leichname am Kreuz
blieben den Sabbat über (denn
desselbigen Sabbats Tag war
groß), baten sie Pilatus; daß
ihre Beine gebrochen, und sie
abgenommen würden.

folfilla vo sawkt, "Si henn mei glay-
dah fadayld unnich nannah, un
henn gezowwa in en lohs fa mei
rokk." No henn di greeks-gnechta
dess gedu. 25 Jesus sei maemm,
sei maemm iahra shveshtah, di
Maria, em Kleophas sei fraw,
un di Maria Magdalena henn
nayksht am greitz kshtanna. 26
Vo Jesus sei maemm ksenna hott,
un aw sellah yingah vo eah leeb
katt hott nayksht bei iahra shtay,
hott eah ksawt zu sei maemm,
"Veibsmensh, gukk moll, do is
dei sohn." 27 No hott eah ksawt
zu demm yingah, "Gukk moll, do
is dei maemm." Un funn datt on
hott sellah yingah see zu sei aykni
haymet gnumma. 28 Jesus hott
no gvist es alles faddich is nau.
No fa di Shrift folfilla, hott eah
ksawt, "Ich binn dashtich." 29
En shissel foll essich voah datt
kshtanna. No henn si en sponge
ksohkt in demm essich, henn en
uf en hyssop shtokk gedu un henn
en nuff an Jesus sei maul kohva.
30 Vo Jesus da essich gnumma
katt hott, hott eah ksawt, "Es is
faddich." No hott eah sei kobb
nunnah gebikt, un hott sei geisht
ufgevva. 31 Nau veil's da risht-
dawk voah, un da neksht dawk en
oahrichah heilichah Sabbat voah,
henn di Yudda nett havva vella
es di dohda uf di greitza bleiva uf
em Sabbat. Fasell sinn si ganga
un henn da Pilawtus kfrohkt eb
iahra bay fabrocha sei deifta so
es si si runnah nemma kenda.

my vesture they did cast lots. These things therefore the soldiers did. **25** Now there stood by the cross of Jesus his mother, and his mother's sister, Mary the *wife* of Cleophas, and Mary Magdalene. **26** When Jesus therefore saw his mother, and the disciple standing by, whom he loved, he saith unto his mother, Woman, behold thy son! **27** Then saith he to the disciple, Behold thy mother! And from that hour that disciple took her unto his own *home.* **28** After this, Jesus knowing that all things were now accomplished, that the scripture might be fulfilled, saith, I thirst. **29** Now there was set a vessel full of vinegar: and they filled a spunge with vinegar, and put *it* upon hyssop, and put *it* to his mouth. **30** When Jesus therefore had received the vinegar, he said, It is finished: and he bowed his head, and gave up the ghost. **31** The Jews therefore, because it was the preparation, that the bodies should not remain upon the cross on the sabbath day, (for that sabbath day was an high day,) besought Pilate that their legs might be broken, and *that* they might be taken away.

19:25 I have always wondered where Joseph was. Why was he not here? EM

19:28 Jesus cared only that the will of His Father be fulfilled, in spite of being in indescribable pain. JZ

19:30 When Jesus said "It is finished," what did He mean? (1) Jesus blotted out the handwriting of ordinances that was against us and nailed it to His cross (Col 2:14). (2) He would not have to die again for sin. (3) No other human or animal sacrifice would have to be made for sin. This last sacrifice completed the Father's requirement for our sins. JK

32 Da kamen die Kriegsknechte und brachen dem ersten die Beine und dem andern, der mit ihm gekreuziget war. 33 Als sie aber zu Jesu kamen, da sie sahen, daß er schon gestorben war, brachen sie ihm die Beine nicht, 34 sondern der Kriegsknechte einer öffnete seine Seite mit einem Speer; und alsbald ging Blut und Wasser heraus. 35 Und der das gesehen hat, der hat es bezeuget, und sein Zeugnis ist wahr, und derselbige weiß, daß er die Wahrheit saget, auf daß auch ihr glaubet. 36 Denn solches ist geschehen, daß die Schrift erfüllet würde: Ihr sollt ihm kein Bein zerbrechen. 37 Und abermal spricht eine andere Schrift: Sie werden sehen, in welchen sie gestochen haben. 38 Danach bat Pilatus Joseph von Arimathia, der ein Jünger Jesu war, doch heimlich, aus Furcht vor den Juden, daß er möchte abnehmen den Leichnam Jesu. Und Pilatus erlaubte es. Da kam er und nahm den Leichnam Jesu herab. 39 Es kam aber auch Nikodemus, der vormals bei der Nacht zu Jesu kommen war, und brachte Myrrhen und Aloen untereinander bei hundert Pfunden. 40 Da nahmen sie den Leichnam Jesu und banden ihn in leinene Tücher mit Spezereien, wie die Juden pflegen zu begraben.

32 No sinn di greeks-gnechta kumma un henn di bay fabrocha fumm eahshta un em anra vo gegreitzicht voahra mitt eem. 33 Avvah vo si zu Jesus kumma sinn un henn ksenna es eah shund doht is, henn si sei bay nett fabrocha. 34 Avvah ayns funn di greeks-gnechta hott sei shpiah in sei seit nei grend, un grawt is bloot un vassah raus kumma. 35 Deah vo dess ksenna hott, hott zeiknis gevva zu demm, un sei zeiknis is voah. Eah vayst es eah di voahret sawkt, so es diah glawva sellet. 36 Dee sacha henn blatz gnumma so es di Shrift folfild vatt vo sawkt, "Es soll kens funn sei gnocha fabrocha vadda." 37 Un aw an en anra blatz in di Shrift sawkt's, "Si zayla uf een gukka, deah vo si kshtocha henn." 38 Noch sellem hott da Joseph funn Arimathia da Pilawtus kfrohkt fa Jesus sei leib havva. Da Joseph voah en yingah funn Jesus, avvah nett fanna rumm veil eah sich kfeicht hott veyyich di Yudda. Da Pilawtus hott ksawt eah kann's leib havva. No is eah kumma un hott's vekk gnumma. 39 Da Nicodemus, vo seahsht zu eem kumma is ay nacht, is aw kumma un hott baut en hunnaht pund shpeis gebrocht es myrrhe un aloe zammah gmixt voah. 40 Si henn Jesus sei leib gnumma un henn's gvikkeld mitt duch un di shpeisa, so vi di Yudda iahra vayk voah fa di dohda fagrawva.

32 Then came the soldiers, and brake the legs of the first, and of the other which was crucified with him. **33** But when they came to Jesus, and saw that he was dead already, they brake not his legs: **34** But one of the soldiers with a spear pierced his side, and forthwith came there out blood and water. **35** And he that saw *it* bare record, and his record is true: and he knoweth that he saith true, that ye might believe. **36** For these things were done, that the scripture should be fulfilled, A bone of him shall not be broken. **37** And again another scripture saith, They shall look on him whom they pierced. **38** And after this Joseph of Arimathaea, being a disciple of Jesus, but secretly for fear of the Jews, besought Pilate that he might take away the body of Jesus: and Pilate gave *him* leave. He came therefore, and took the body of Jesus. **39** And there came also Nicodemus, which at the first came to Jesus by night, and brought a mixture of myrrh and aloes, about an hundred pound *weight*. **40** Then took they the body of Jesus, and wound it in linen clothes with the spices, as the manner of the Jews is to bury.

19:36 Once again, this was prophesied hundreds and hundreds of years before it happened. David writes, "He keepeth all his bones: not one of them is broken" (Psalm 34:20). JK

19:38 You know what I like about this man named Joseph? I like the fact that he placed his own life on the line to move the body of Christ. He was not ashamed like so many Christians are. He did not hide his belief in Christ. Is that the kind of Christian you are too? JK

19:39 Do you see who showed up again? Nicodemus! Makes me believe He became a believer in John chapter 3, when he snuck out at night and met with Jesus. Thank you, Apostle John, for adding this. JK

19:39 This would be about 65 pounds in modern weights and measurements; enough for a king. EM

41 Es war aber an der Stätte, da er gekreuziget ward, ein Garten und im Garten ein neu Grab, in welches niemand je gelegt war. 42 Daselbst hin legten sie Jesum um des Rüsttages willen der Juden, dieweil das Grab nahe war.

20:1 An der Sabbate einem kommt Maria Magdalena früh, da es noch finster war, zum Grabe und siehet, daß der Stein vom Grabe hinweg war. 2 Da läuft sie und kommt zu Simon Petrus und zu dem andern Jünger, welchen Jesus liebhatte, und spricht zu ihnen: Sie haben den HERRN weggenommen aus dem Grabe, und wir wissen nicht, wo sie ihn hingelegt haben. 3 Da ging Petrus und der andere Jünger hinaus und kamen zum Grabe. 4 Es liefen aber die zwei miteinander, und der andere Jünger lief zuvor, schneller denn Petrus, und kam am ersten zum Grabe, 5 gucket hinein und siehet die Leinen geleget; er ging aber nicht hinein. 6 Da kam Simon Petrus ihm nach und ging hinein in das Grab und siehet die Leinen geleget. 7 und das Schweißtuch, das Jesu um das Haupt gebunden war, nicht zu den Leinen geleget, sondern beiseits, eingewickelt, an einen besondern Ort. 8 Da ging auch

41 Nau am blatz vo Jesus gegreitzicht voah, voah en goahra. Un im goahra voah en nei grawb vo noch nimmand nei glaykt voah. 42 Un veil's da Yudda dawk funn rishta voah, un dess grawb nayksht voah, henn si Jesus datt nei glaykt.

20:1 Nau uf em eahshta dawk funn di voch is di Maria Magdalena free meiyets, eb dawk, an's grawb kumma, un hott ksenna es da shtay vekk gnumma voah fumm grawb. 2 No is see zumm Simon Petrus kshprunga un zumm anra yingah vo Jesus gleebt hott, un hott ksawt zu eena, "Si henn da Hah aus em grawb gnumma un miah vissa nett vo si een anna glaykt henn." 3 Da Petrus is no raus kumma mitt em anra yingah, un si sinn noch em grawb ganga. 4 Si sinn awl zvay kshprunga, avvah da annah yingah is shteikah kshprunga es da Petrus un is seahsht an's grawb kumma. 5 Un vi eah sich nunnah gebikt hott fa nei gukka, hott eah di dichah ksenna datt leiya avvah eah is nett nei ganga. 6 No is da Simon Petrus eem nohch kumma, un is nei in's grawb ganga. Eah hott di dichah ksenna datt leiya, 7 un's kobb-duch es uf Jesus seim kobb gvest voah, voah nett bei di dichah, avvah voah ufgrold imma blatz bei sich selvaht. 8 No is da annah yingah vo seahsht

41 Now in the place where he was crucified there was a garden; and in the garden a new sepulchre, wherein was never man yet laid. **42** There laid they Jesus therefore because of the Jews' preparation *day*; for the sepulchre was nigh at hand.

20:1 The first *day* of the week cometh Mary Magdalene early, when it was yet dark, unto the sepulchre, and seeth the stone taken away from the sepulchre. **2** Then she runneth, and cometh to Simon Peter, and to the other disciple, whom Jesus loved, and saith unto them, They have taken away the Lord out of the sepulchre, and we know not where they have laid him. **3** Peter therefore went forth, and that other disciple, and came to the sepulchre. **4** So they ran both together: and the other disciple did outrun Peter, and came first to the sepulchre. **5** And he stooping down, *and looking in*, saw the linen clothes lying; yet went he not in. **6** Then cometh Simon Peter following him, and went into the sepulchre, and seeth the linen clothes lie, **7** And the napkin, that was about his head, not lying with the linen clothes, but wrapped together in a place by itself. **8** Then went in also that other disciple, which came first to

19:42 And everybody went home. Many gave up! They thought this was the end. They were confused, angry, discouraged, fearful, unbelieving, and stressed out. Wonder if the devil thought he won? I doubt it. JK

20:1 The "first day of the week" is Sunday. Do not confuse Sunday with the Sabbath Day (Saturday). Jesus rose from the dead on Sunday; therefore, the early church began to celebrate His resurrection on the first day of the week (Acts 20:7, and I Cor 16:1-2). Now, 2,000 years later, Christians still come together on the first day of the week to celebrate the Resurrection of our Lord and Savior. JK

20:1 I can't imagine what it would have been like to go to the tomb. JZ

der andere Jünger hinein, der am ersten zum Grabe kam, und sah und glaubete es. 9 Denn sie wußten die Schrift noch nicht, daß er von den Toten auferstehen müßte. 10 Da gingen die Jünger wieder zusammen. 11 Maria aber stund vor dem Grabe und weinete draußen. Als sie nun weinete, guckte sie in das Grab 12 und siehet zwei Engel in weißen Kleidern sitzen, einen zu den Häupten und den andern zu den Füßen, da sie den Leichnam Jesu hingelegt hatten. 13 Und dieselbigen sprachen zu ihr: Weib, was weinest du? Sie spricht zu ihnen: Sie haben meinen HERRN weggenommen, und ich weiß nicht, wo sie ihn hingelegt haben. 14 Und als sie das sagte, wandte sie sich zurück und siehet Jesum stehen und weiß nicht, daß es Jesus ist. 15 Spricht Jesus zu ihr: Weib, was weinest du? Wen suchest du? Sie meinet, es sei der Gärtner, und spricht zu ihm: HERR, hast du ihn weggetragen, so sage mir, wo hast du ihn hingeleget? so will ich ihn holen. 16 Spricht Jesus zu ihr: Maria! Da wandte sie sich um und spricht zu ihm: Rabbuni, das heißt, Meister! 17 Spricht Jesus zu ihr: Rühre mich nicht an; denn ich bin noch nicht aufgefahren zu meinem Vater. Gehe aber hin zu meinen Brüdern und sage ihnen: Ich fahre auf zu meinem Vater und

am grawb voah aw nei ganga un hott ksenna un hott geglawbt. 9 Si henn di Shrift noch nett gvist es eah uf shtay muss funn di dohda. 10 No sinn di yingah zrikk zu iahra haymet ganga. 11 Avvah di Maria hott autseit am grawb kshtanna am heila. Un vi see am heila voah hott see sich nunnah gebikt un hott in's grawb gegukt. 12 Un see hott zvay engel mitt veisi glaydah ksenna hokka vo Jesus sei leib gleyya katt hott. Aynah voah am kobb un da annah an di fees. 13 Si henn ksawt zu iahra, "Veibsmensh, favass bisht du am heila?" See hott ksawt zu eena, "Veil si mei Hah vekk gnumma henn, un ich vays nett vo si een anna glaykt henn." 14 Vi see dess ksawt hott, hott see sich rumm gedrayt un hott Jesus ksenna datt shtay, avvah see hott nett gvist es es Jesus voah. 15 Jesus hott ksawt zu iahra, "Veibsmensh, favass bisht du am heila? Veah bisht du am gukka difoah?" See hott gmaynd eah voah da goahra-haldah un hott ksawt zu eem, "Vann du een vekk gedrawwa hosht, sawk miah vo du een hee glaykt hosht, no vill ich een vekk nemma." 16 Jesus hott ksawt zu iahra, "Maria." See hott sich rumm gedrayt un hott ksawt zu eem in Hebrayish, "Rabbuni," (sell maynd Meishtah). 17 Jesus hott ksawt zu iahra, "Du mich nett ohrayya, veil ich noch nett nuff ganga binn zumm Faddah. Avvah gay zu mei breedah un sawk eena es ich am nuff zu meim Faddah

the sepulchre, and he saw, and believed. **9** For as yet they knew not the scripture, that he must rise again from the dead. **10** Then the disciples went away again unto their own home. **11** But Mary stood without at the sepulchre weeping: and as she wept, she stooped down, *and looked* into the sepulchre, **12** And seeth two angels in white sitting, the one at the head, and the other at the feet, where the body of Jesus had lain. **13** And they say unto her, Woman, why weepest thou? She saith unto them, Because they have taken away my Lord, and I know not where they have laid him. **14** And when she had thus said, she turned herself back, and saw Jesus standing, and knew not that it was Jesus. **15** Jesus saith unto her, Woman, why weepest thou? whom seekest thou? She, supposing him to be the gardener, saith unto him, Sir, if thou have borne him hence, tell me where thou hast laid him, and I will take him away. **16** Jesus saith unto her, Mary. She turned herself, and saith unto him, Rabboni; which is to say, Master. **17** Jesus saith unto her, Touch me not; for I am not yet ascended to my Father: but go to my brethren, and say unto them, I ascend unto my Father, and your Father; and *to* my

20:9 Jesus had informed His disciples on many occasions that He would die and be raised the third day (Matthew 16:21). They should have caught on, but they hadn't. Even now, it had not yet sunk in. How might this lesson be of help to you today? JK

20:12 Strange how she interacts with these angels, and it does not seem odd to her. Even if they just looked like people, where did they come from, how did they get in there? EM

20:14a Jesus was now resurrected from the dead and could have returned to the Father, but He hung around for another forty days. Why? Maybe it was because He wanted to prove to the world that He was alive? Maybe it was because of His everlasting love and compassion for the many who were hurting? JK

20:14b There may be as many as 30,000 religions in the world today, and every single one follows some leader of the past. What separates Christianity from all other religions? Our leader rose from the dead and is alive. All other leaders died and stayed dead. JK

zu eurem Vater, zu meinem Gott und zu eurem Gott. 18 Maria Magdalena kommt und verkündiget den Jüngern: Ich habe den HERRN gesehen, und solches hat er zu mir gesagt. 19 Am Abend aber desselbigen Sabbats, da die Jünger versammelt und die Türen verschlossen waren aus Furcht vor den Juden, kam Jesus und trat mitten ein und spricht zu ihnen: Friede sei mit euch! 20 Und als er das sagte, zeigte er ihnen die Hände und seine Seite. Da wurden die Jünger froh, daß sie den HERRN sahen. 21 Da sprach Jesus abermal zu ihnen: Friede sei mit euch! Gleichwie mich der Vater gesandt hat, so sende ich euch. 22 Und da er das sagte, blies er sie an und spricht zu ihnen: Nehmet hin den Heiligen Geist! 23 Welchen ihr die Sünden erlasset, denen sind sie erlassen, und welchen ihr sie behaltet, denen sind sie behalten. 24 Thomas aber, der Zwölfen einer, der da heißet Zwilling, war nicht bei ihnen, da Jesus kam. 25 Da sagten die andern Jünger zu ihm: Wir haben den HERRN gesehen. Er aber sprach zu ihnen: Es sei denn, daß ich in seinen Händen sehe die Nägelmale und lege meinen Finger in die Nägelmale und lege meine Hand in seine Seite, will ich's nicht glauben. 26 Und über acht Tage waren abermal seine Jünger drinnen und Thomas

un eiyah Faddah gay binn; zu meim Gott un zu eiyah Gott." 18 Di Maria Magdalena is ganga un hott di yingah ksawt, "Ich habb da Hah ksenna." Un no hott see eena fazayld veyyich di sacha es eah iahra ksawt hott. 19 Ohvets uf sellem eahshta dawk funn di voch voahra di yingah bei-nannah mitt di deahra kshlossa, veil si sich kfeicht henn veyyich di Yudda. Un Jesus is nei unnich si kumma un hott ksawt zu eena, "Fridda sei mitt eich." 20 Vo eah dess ksawt katt hott, hott eah eena sei hend un sei seit gvissa. No voahra di yingah froh vo si da Hah ksenna henn. 21 Jesus hott viddah ksawt zu eena, "Fridda sei bei eich. Vi da Faddah mich kshikt hott, grawt so shikk ich eich." 22 Un vo eah dess ksawt katt hott, hott eah uf si kshnauft un hott ksawt zu eena, "Nau nemmet da Heilich Geisht. 23 Vann diah ennichi leit iahra sinda fagevvet, sinn si fagevva; vann diah nett iahra sinda fagevvet, sinn si nett fagevva." 24 Nau da Thomas, ayns funn di zvelfa, es Zvilling kaysa hott, voah nett bei eena vo Jesus kumma is. 25 Di anra yingah henn eem ksawt, "Miah henn da Hah ksenna." Avvah eah hott ksawt zu eena, "Unni es ich di nekkel-lechah sayn in sei hend un kann mei fingah datt nei du, un mei hand in sei seit du, glawb ich nett." 26 Acht dawk shpaydah voahra sei yingah viddah im haus, un da Thomas

God, and your God. **18** Mary Magdalene came and told the disciples that she had seen the Lord, and *that* he had spoken these things unto her. **19** Then the same day at evening, being the first *day* of the week, when the doors were shut where the disciples were assembled for fear of the Jews, came Jesus and stood in the midst, and saith unto them, Peace *be* unto you. **20** And when he had so said, he shewed unto them *his* hands and his side. Then were the disciples glad, when they saw the Lord. **21** Then said Jesus to them again, Peace *be* unto you: as *my* Father hath sent me, even so send I you. **22** And when he had said this, he breathed on *them*, and saith unto them, Receive ye the Holy Ghost: **23** Whose soever sins ye remit, they are remitted unto them; *and* whose soever *sins* ye retain, they are retained. **24** But Thomas, one of the twelve, called Didymus, was not with them when Jesus came. **25** The other disciples therefore said unto him, We have seen the Lord. But he said unto them, Except I shall see in his hands the print of the nails, and put my finger into the print of the nails, and thrust my hand into his side, I will not believe. **26** And after eight days again his disciples were within, and

20:19 Where do you think Jesus was all day? Praying, perhaps? JZ

20:19 John made special mention of Jesus appearing in the room with the doors shut. This shows that our resurrection bodies will not have the same limitations as our physical bodies do. JK

20:25 Many people today believe that Jesus walked on earth, but few believe He's the risen Savior, with scars to prove it. JZ

mit ihnen. Kommt Jesus, da die Türen verschlossen waren, und tritt mitten ein und spricht: Friede sei mit euch! 27 Danach spricht er zu Thomas: Reiche deinen Finger her und siehe meine Hände; und reiche deine Hand her und lege sie in meine Seite; und sei nicht ungläubig, sondern gläubig. 28 Thomas antwortete und sprach zu ihm: Mein HERR und mein Gott! 29 Spricht Jesus zu ihm: Dieweil du mich gesehen hast, Thomas, so glaubest du. Selig sind, die nicht sehen und doch glauben. 30 Auch viel andere Zeichen tat Jesus vor seinen Jüngern, die nicht geschrieben sind in diesem Buch. 31 Diese aber sind geschrieben, daß ihr glaubet, Jesus sei Christus, der Sohn Gottes, und daß ihr durch den Glauben das Leben habet in seinem Namen.

21:1 Danach offenbarte sich Jesus abermal den Jüngern an dem Meer bei Tiberias. Er offenbarte sich aber also. 2 Es waren beieinander Simon Petrus und Thomas, der da heißet Zwilling, und Nathanael von Kana, Galiläa, und die Söhne des Zebedäus und andere zwei seiner Jünger. 3 Spricht Simon Petrus zu ihnen: Ich will hin fischen gehen. Sie sprachen zu ihm: So wollen wir mit dir gehen. Sie gingen hinaus und traten in das Schiff alsbald; und in derselbigen Nacht fingen sie nichts.

voah bei eena. Di deahra voahra zu kshlossa, avvah Jesus is nei kumma un hott drinn bei eena kshtanna un hott ksawt zu eena, "Fridda sei mitt eich." 27 No hott eah zumm Thomas ksawt, "Du dei fingah do heah un feel mei hend, un du dei hand do in mei seit. Sei nett unglawvich avvah glawvich." 28 Da Thomas hott ksawt zu eem, "Mei Hah un mei Gott!" 29 Jesus hott ksawt zu eem, "Hosht du geglawbt veil du mich ksenna hosht? Ksaykend sinn dee vo mich nett ksenna henn un doon doch glawva." 30 Nau Jesus hott feel anri zaycha gedu bei di yingah es nett kshrivva sinn in demm buch, 31 avvah dee sacha sinn kshrivva es diah glawvet es Jesus, Christus is, es eah Gottes Sohn is, un es diah's layva hend deich da glawva in seim nohma.

21:1 Noch demm hott Jesus sich viddah gvissa zu di yingah am Say funn Tiberias, un eah hott sich deahra vayk gvissa. 2 Da Simon Petrus, da Thomas, es Zvilling kaysa hott, da Nathanael funn Kana in Galilaya, di boova fumm Zebedeus un zvay anri yingah voahra bei-nannah. 3 Da Simon Petrus hott eena ksawt, "Ich zayl gay fisha." No henn si ksawt zu eem, "Miah gayn mitt diah." Si sinn naus in's boat ganga, avvah selli nacht henn si nix kfanga.

Thomas with them: *then* came Jesus, the doors being shut, and stood in the midst, and said, Peace *be* unto you. **27** Then saith he to Thomas, Reach hither thy finger, and behold my hands; and reach hither thy hand, and thrust *it* into my side: and be not faithless, but believing. **28** And Thomas answered and said unto him, My Lord and my God. **29** Jesus saith unto him, Thomas, because thou hast seen me, thou hast believed: blessed *are* they that have not seen, and *yet* have believed. **30** And many other signs truly did Jesus in the presence of his disciples, which are not written in this book: **31** But these are written, that ye might believe that Jesus is the Christ, the Son of God; and that believing ye might have life through his name.

21:1 After these things Jesus shewed himself again to the disciples at the sea of Tiberias; and on this wise shewed he *himself*. **2** There were together Simon Peter, and Thomas called Didymus, and Nathanael of Cana in Galilee, and the *sons* of Zebedee, and two other of his disciples. **3** Simon Peter saith unto them, I go a fishing. They say unto him, We also go with thee. They went forth, and entered into a ship immediately; and that night they caught nothing.

20:27 In Hebrews 11:6, it says, "But without faith it is impossible to please him: for he that cometh to God must believe that he is, and that he is a rewarder of them that diligently seek him." JK

20:28 Like Thomas, many people have a hard time believing that Jesus was God Himself in the flesh. But here, we are once again reminded about this very important fact. See also: Matt 1:23; John 1:1 and 14; John 10:30-33; 2 Peter 1:1; 1 Tim 3:16. JK

20:29 "Now faith is the substance of things hoped for, the evidence of things not seen" (Heb 11:1). It would be very hard to believe that someone you had seen died but had risen again, and others had seen Him. EM

20:30 Dear Lord, I thank you for the things You did tell us. Yes, it would have been great to know everything You did on earth; however, You gave us all the information we need to know how to get to heaven. We are grateful! Help our unbelief. JK

20:31 Faith (dependence) on Christ is ALL that is necessary for eternal life. Have you believed in Christ in this way? EM

21:3 Even the very thing that they were professionals at, they could not

4 Da es aber jetzt Morgen ward, stund Jesus am Ufer; aber die Jünger wußten nicht, daß es Jesus war. 5 Spricht Jesus zu ihnen: Kinder, habt ihr nichts zu essen? Sie antworteten ihm: Nein. 6 Er aber sprach zu ihnen: Werfet das Netz zur Rechten des Schiffs, so werdet ihr finden. Da warfen sie und konnten's nicht mehr ziehen vor der Menge der Fische. 7 Da spricht der Jünger, welchen Jesus liebhatte, zu Petrus: Es ist der HERR! Da Simon Petrus hörete, daß es der HERR war, gürtete er das Hemd um sich (denn er war nackend) und warf sich ins Meer. 8 Die andern Jünger aber kamen auf dem Schiffe (denn sie waren nicht fern vom Lande, sondern bei zweihundert Ellen) und zogen das Netz mit den Fischen. 9 Als sie nun austraten auf das Land sahen sie Kohlen geleget und Fische dar auf und Brot. 10 Sprich Jesus zu ihnen: Bringet her von den Fischen, die ihr jetzt gefangen habt. 11 Simon Petrus stieg hinein und zog das Netz auf das Land voll großer Fische, hundert und dreiundfünfzig. Und wiewohl ihrer so viel waren, zerriß doch das Netz nicht. 12 Spricht Jesus zu ihnen: Kommt und haltet das Mahl! Niemand aber unter den Jüngern durfte ihn fragen:

4 Yusht vi's am dawk vadda voah, hott Jesus bei em say kshtanna, avvah di yingah henn nett gvist es es Jesus voah. 5 Jesus hott ksawt zu eena, "Kinnah, hend diah ennichi fish?" Un si henn ksawt, "Nay." 6 No hott eah ksawt zu eena, "Shmeiset eiyah net uf di rechts seit fumm boat no finna diah samm." No henn si's datt naus kshmissa, un's voahra no so feel fish im net es si's nett rei zeeya henn kenna. 7 Sellah yingah vo Jesus leeb katt hott, hott ksawt zumm Petrus, "Es is da Hah!" Vo da Simon Petrus keaht hott es es da Hah voah, hott eah sei glaydah ohgedu, veil eah sich kshtribt katt hott fa shaffa, un is in da say nei getshumbt. 8 Avvah di anra yingah sinn rei kumma mitt em boat am's net foll fish hinnich eena nohch zeeya, veil si nett veit fumm land voahra, yusht baut en hunnaht yoaht ab. 9 Vo si naus uf's land kumma sinn, henn si ksenna es en feiyah gmacht voah un fish am druff leiya voahra. Un's voah aw samm broht datt. 10 Jesus hott ksawt zu eena, "Bringet samm funn di fish es diah yusht kfanga hend." 11 No is da Simon Petrus nuff ganga un hott's net rei gezowwa uf's land. Es voah foll grohsi fish, en hunnaht un drei un fuftzich funna; un even mitt so feel fish is es net nett farissa 12 Jesus hott ksawt zu eena, "Kummet un esset." Nau kens funn eena henn gedraut een frohwa, "Veah bisht du?" Si henn

4 But when the morning was now come, Jesus stood on the shore: but the disciples knew not that it was Jesus. **5** Then Jesus saith unto them, Children, have ye any meat? They answered him, No. **6** And he said unto them, Cast the net on the right side of the ship, and ye shall find. They cast therefore, and now they were not able to draw it for the multitude of fishes. **7** Therefore that disciple whom Jesus loved saith unto Peter, It is the Lord. Now when Simon Peter heard that it was the Lord, he girt *his* fisher's coat *unto him*, (for he was naked,) and did cast himself into the sea. **8** And the other disciples came in a little ship; (for they were not far from land, but as it were two hundred cubits,) dragging the net with fishes. **9** As soon then as they were come to land, they saw a fire of coals there, and fish laid thereon, and bread. **10** Jesus saith unto them, Bring of the fish which ye have now caught. **11** Simon Peter went up, and drew the net to land full of great fishes, an hundred and fifty and three: and for all there were so many, yet was not the net broken. **12** Jesus saith unto them, Come *and* dine. And none of the disciples durst ask him, Who art thou?

do without the help of God. We are dependent on God for everything everyday. EM

21:5 Why do you think Jesus called these grown men children? Could it be they were acting like children? Think about it! Jesus had walked with them for three years. He was on His way back to heaven. They were to continue what He taught. And here they were, back to their old jobs. How immature! How discouraging! JK

21:6 It was not the casting of the net on the other side of the boat that brought so many fish in. It had everything to do with obeying the Lord's command. JK

21:7 Have you noticed the statement "that disciple whom Jesus loved" showing up in other parts of the book of John? Have you caught on which one of the disciples this was? It was none other than the author of this book, the apostle John. JK

Wer bist du? Denn sie wußten, daß es der HERR war. 13 Da kommt Jesus und nimmt das Brot und gibt's ihnen, desselbigengleichen auch die Fische. 14 Das ist nun das dritte Mal, daß Jesus offenbaret ward seinen Jüngern, nachdem er von den Toten auferstanden ist. 15 Da sie nun das Mahl gehalten hatten, spricht Jesus zu Simon Petrus: Simon Johanna, hast du mich lieber, denn mich diese haben? Er spricht zu ihm: Ja, HERR, du weißt, daß ich dich liebhabe. Spricht er zu ihm: Weide meine Lämmer! 16 Spricht er zum andernmal zu ihm: Simon Johanna, hast du mich lieb? Er spricht zu ihm: Ja, HERR, du weißt, daß ich dich liebhabe. Spricht er zu ihm: Weide meine Schafe! 17 Spricht er zum drittenmal zu ihm: Simon Johanna, hast du mich lieb? Petrus ward traurig, daß er zum drittenmal zu ihm sagte: Hast du mich lieb? und sprach zu ihm: HERR, du weißt alle Dinge, du weißt, daß ich dich liebhabe. Spricht Jesus zu ihm: Weide meine Schafe. 18 Wahrlich, wahrlich, ich sage dir: Da du jünger warest, gürtetest du dich selbst und wandeltest, wo du hin wolltest; wenn du aber alt wirst, wirst du deine Hände ausstrecken, und ein anderer wird dich gürten und führen, wo du nicht hin willst.

gvist es es da Hah voah. 13 Jesus is kumma un hott's broht un di fish gnumma un hott eena si gevva. 14 Dess voah nau's dritt mohl es Jesus sich gvissa hott zu di yingah noch demm es eah uf kshtanna voah funn di dohda. 15 Vo si faddich voahra essa, hott Jesus ksawt zumm Simon Petrus, em Johannes sei boo, "Dusht du mich may leeva es dee?" Eah hott ksawt zu eem, "Yau, Hah, du vaysht es ich dich leeva du." Jesus hott ksawt zu eem, "Feedah mei lemmah." 16 No hott eah's zvett mohl ksawt zu eem, "Simon, em Johannes sei boo, dusht du mich leeva?" Eah hott ksawt zu eem, "Yau, Hah, du vaysht es ich dich leeva du." Jesus hott ksawt zu eem, "Gebb acht uf mei shohf." 17 No hott eah's dritt mohl ksawt zu eem, "Simon, em Johannes sei boo, dusht du mich leeva?" Da Petrus voah bedreebt veil eah een's dritt mohl kfrohkt hott, "Dusht du mich leeva?" No hott eah ksawt zu Jesus, "Hah, du vaysht alles; du vaysht es ich dich leeva du." Jesus hott ksawt zu eem, "Feedah mei shohf. 18 Voahlich, voahlich, ich sawk diah, vo du yung voahsht hosht du dich ohgedu un bisht hee ganga vo du hosht vella. Avvah vann du moll ald bisht, shtreksht du dei hend naus un ebbah shunsht dutt dich oh un nemd dich anna vo du nett hee gay vitt."

knowing that it was the Lord. **13** Jesus then cometh, and taketh bread, and giveth them, and fish likewise. **14** This is now the third time that Jesus shewed himself to his disciples, after that he was risen from the dead. **15** So when they had dined, Jesus saith to Simon Peter, Simon, *son* of Jonas, lovest thou me more than these? He saith unto him, Yea, Lord; thou knowest that I love thee. He saith unto him, Feed my lambs. **16** He saith to him again the second time, Simon, *son* of Jonas, lovest thou me? He saith unto him, Yea, Lord; thou knowest that I love thee. He saith unto him, Feed my sheep. **17** He saith unto him the third time, Simon, *son* of Jonas, lovest thou me? Peter was grieved because he said unto him the third time, Lovest thou me? And he said unto him, Lord, thou knowest all things; thou knowest that I love thee. Jesus saith unto him, Feed my sheep. **18** Verily, verily, I say unto thee, When thou wast young, thou girdedst thyself, and walkedst whither thou wouldest: but when thou shalt be old, thou shalt stretch forth thy hands, and another shall gird thee, and carry *thee* whither thou wouldest not.

21:14 Although, this was the third time Jesus revealed Himself to His disciples, He had appeared a total of six times since He arose from the tomb. JK

21:17 Peter denied Jesus three times; now we see Jesus asking Peter the same question three times. What did all this mean? Consider the words in Gal. 6:7: "Be not deceived; God is not mocked: for whatsoever a man soweth, that shall he also reap." What are you reaping today that was sown before? What are you sowing today that will be harvested later? JK

21:17 Does Jesus know that you love him? JZ

21:17 Peter denied Christ, then went back to his old occupation of fishing, yet Christ forgives him of this sin. Have you been forgiven? EM

19 Das sagte er aber, zu deuten, mit welchem Tode er Gott preisen würde. Da er aber das gesagt, spricht er zu ihm: Folge mir nach! 20 Petrus aber wandte sich um und sah den Jünger folgen welchen Jesus liebhatte, der auch an seiner Brust am Abendessen gelegen war und gesagt hatte: HERR, wer ist's, der dich verrät? 21 Da Petrus diesen sah, spricht er zu Jesu: HERR, was soll aber dieser? 22 Jesus spricht zu ihm: So ich will, daß er bleibe, bis ich komme, was gehet es dich an? Folge du mir nach! 23 Da ging eine Rede aus unter den Brüdern: Dieser Jünger stirbt nicht. Und Jesus sprach nicht zu ihm: Er stirbet nicht, sondern: So ich will, daß er bleibe, bis ich komme, was gehet es dich an? 24 Dies ist der Jünger, der von diesen Dingen zeuget und hat dies geschrieben; und wir wissen, daß sein Zeugnis wahrhaftig ist. 25 Es sind auch viel andere Dinge, die Jesus getan hat, welche, so sie sollten eins nach dem andern geschrieben werden, achte ich, die Welt würde die Bücher nicht begreifen, die zu beschreiben wären.

19 Eah hott dess ksawt fa veisa deich vass fa doht es da Petrus hallichkeit bringa zayld zu Gott. Un noch demm hott eah ksawt zu eem, "Kumm miah nohch." 20 Da Petrus hott sich rumm gedrayt un hott sellah yingah ksenna am eena nohch kumma vo Jesus leeb katt hott. Dess voah da vann vo sich zrikk veddah Jesus glost katt hott am dish un hott een kfrohkt, "Hah, veah zayld dich farohda?" 21 Vo da Petrus een ksenna hott, hott eah Jesus kfrohkt, "Hah, vass veyyich demm mann?" 22 Jesus hott ksawt zu eem, "Vann ich havva vill es eah layva bleibt biss ich kumm, vass is sell zu diah? Kumm du miah nohch!" 23 Es kshvetz is no rumm ganga unnich di breedah es sellah yingah dayt nett shtauva. Avvah Jesus hott nett ksawt zu eem es eah nett shtauva dayt, avvah eah hott ksawt, "Vann ich havva vill es eah layva bleibt biss ich kumm, vass is sell zu diah?" 24 Dess is da yingah vo zeiya dutt zu dee sacha un vo si nunnah kshrivva hott. Un miah vissa es sei zeiknis voah is. 25 Avvah es sinn aw feel anri sacha es Jesus gedu hott. Vann si awl nunnah kshrivva veahra, denk ich veah di veld nett grohs genunk fa awl di bichah hayva vo kshrivva veahra. Amen.

19 This spake he, signifying by what death he should glorify God. And when he had spoken this, he saith unto him, Follow me. **20** Then Peter, turning about, seeth the disciple whom Jesus loved following; which also leaned on his breast at supper, and said, Lord, which is he that betrayeth thee? **21** Peter seeing him saith to Jesus, Lord, and what *shall* this man *do*? **22** Jesus saith unto him, If I will that he tarry till I come, what *is that* to thee? follow thou me. **23** Then went this saying abroad among the brethren, that that disciple should not die: yet Jesus said not unto him, He shall not die; but, If I will that he tarry till I come, what *is that* to thee? **24** This is the disciple which testifieth of these things, and wrote these things: and we know that his testimony is true. **25** And there are also many other things which Jesus did, the which, if they should be written every one, I suppose that even the world itself could not contain the books that should be written. Amen.

21.19 History tells us that Peter was crucified. Following Christ will cost us something. Are you willing to pay the price so that you too may see God? EM

21.22 Jesus wants us to follow him, not look at what others are doing. JZ

21.25 Someday we'll know all Jesus ever did, when we have unlimited time with Him in Heaven. JZ

What Is the Gospel?

What exactly do Christians mean when they talk about the "*gospel* of Jesus Christ"? Since the word *gospel* means "good news," when Christians talk about the gospel, they're simply telling the *good news* about Jesus! But it's not just any good news; it *demands a response!* It's a message from God saying, "Good news! Here is how you can be saved from my judgment!" That's an announcement you can't afford to ignore.

So, what is the *good news* about Jesus Christ?

Since the earliest Christians announced the *good news* about Jesus, it has been organized around these questions:

1. *Who made us, and to whom are we accountable?*
2. *What is our problem?*
3. *What is God's solution to our problem?*
4. *How can I be included in His solution?*

Christians through the centuries since Christ have answered those questions with the same truth from the Bible.

1. *We are accountable to God.*
2. *Our problem is our sin against Him.*
3. *God's solution is salvation through Jesus Christ.*
4. *We come to be included in that salvation by faith and repentance.*

Let's summarize those points like this: God, Mankind, Jesus Christ, and Our Response.

GOD

The first thing to know about the *good news* of Jesus is that "in the beginning God created the heaven and the earth" (Genesis 1:1). Everything starts from that point, so if you get that point wrong then everything else that follows will be wrong. Because God created everything – including us – He has the *right* to tell us how to live. You have to understand that in order to understand the *good news* about Jesus.

How would you describe God's character? Loving and good? Compassionate and forgiving? All true. God describes Himself as "merciful and gracious,

longsuffering, and abundant in goodness and truth … forgiving iniquity and transgression and sin." Then God adds, "and that will by no means clear *the guilty*" (Exodus 34:6-7).

That explodes about 90 percent of what people today think they know about God. This loving God does not leave the guilty unpunished. To understand just how glorious and life-giving the gospel of Jesus Christ is, we have to understand that God is also holy and righteous. He is determined never to ignore or tolerate sin. Including *ours*!

MANKIND

When God created the first human beings, Adam and Eve, He intended for them to live under His righteous rule in perfect joy – obeying Him and living in fellowship with Him. When Adam disobeyed God, though, and ate the one fruit that God had told him not to eat, that fellowship with God was broken. Moreover, Adam and Eve had declared rebellion against God. They were denying His authority over their lives.

It's not just Adam and Eve who are guilty of sin. The Bible says "For all have sinned, and come short of the glory of God … There is none righteous no not one" (Romans. 3:23, 10). Yet, we often think of *our* sins as not much more than violations of some heavenly traffic law. So we wonder why God gets so upset about them. But sin is *much* more than that. It's the *rejection of God Himself* and His right to exercise authority over those to whom He gives life.

Once you understand sin in that light, you begin to understand why "the wages of sin is *death*" (Romans 6:23). That's not just physical death, but spiritual death, a forceful separating of our sinful, rebellious selves from the presence of God forever. The Bible teaches that the final destiny for unbelieving sinners is eternal, active judgment in a place called "hell."

This is the Bible's sobering verdict: "It is appointed unto men once to die, but after this the judgment" (Hebrews 9:27). Every one of us will be held accountable to God. The Bible warns that "he that believeth not is condemned already, because he hath not believed in the name of the only begotten Son of God" (John 3:18).

But…

JESUS CHRIST

The word *Christ* means "anointed one," referring to anointing a king with oil when he is crowned. So, when we say "Jesus *Christ*," we're saying that Jesus is a King!

When Jesus began His public ministry, He told the people, "The kingdom of God is at hand. Repent and believe the good news!" Centuries before God had promised that He would come as a great King to rescue His people from their sins. And here was Jesus saying, "The kingdom of God is *here...now! I am that great King!*"

Eventually Jesus' followers realized that His mission was to bring sinful people into that kingdom. Jesus came to die *in their place,* to take the punishment they deserved for their rebellion against God. As Jesus died on a cross, the awful weight of *all our sins* fell on *His* shoulders. The sentence of death God had pronounced against rebellious sinners struck. And Jesus died. *For you and me!* But the story doesn't end there. Jesus the Crucified is no longer dead. The Bible tells us that He rose from the grave. He is not just King Jesus the Crucified, but King Jesus the Crucified and Resurrected! Jesus' rising from the grave was God's way of saying, "What Jesus claimed about who He is and what He came to do is *true!*"

OUR RESPONSE

What does God expect us to do with the information that Jesus died in our place so we can be saved from God's righteous wrath against our sins? He expects us to respond with repentance and faith.

To repent of our sins means to turn away *from* our rebellion against God. Repentance doesn't mean we'll bring an immediate end to our sinning. It does mean, though, that we'll never again live at peace with our sins.

Not only that, but we also turn *to* God in faith. Faith is *reliance.* It's a promise-founded trust in the risen Jesus to save you from *your* sins. "For God sent not his Son into the world to condemn the world; but that the world through him might be saved. He that believeth on him is not condemned ... Who his own self bare our sins in his own body on the tree ... the just for the unjust, that he might bring us to God," (John 3:17, 18; 1 Peter 2:24; 3:18).

If God is ever to count us righteous, He'll have to do it on the basis of someone else's record, someone who's qualified to stand in as our substitute. And that's what happens when a person is saved by Jesus: All

our sins are credited to Jesus who took the punishment for them, and the perfect righteousness of Jesus is then credited to us when we place our trust in what He has done for us! That's what faith means – to rely on Jesus, to trust in Him alone to stand in our place and win a righteous verdict from God!

Do you believe that you have rebelled against God and deserve His wrath? That Jesus Christ is the Son of God who died the death that you deserve for your sins? That He rose from the grave and lives to stand in your place as your Substitute and Savior? If that is your heartfelt conviction, you can tell Him in words like these:

"Jesus, I know I can't save myself, and I know You have promised to save those who repent and put their faith in You alone. I trust You to forgive my sins and give me eternal life. Thank You for dying in my place to make my salvation possible!"

If you've done that, then a whole life of getting to know Jesus lies ahead, *beginning right now!* There's much more to learn from the Spirit of God who comes to live in all those who put their trust in King Jesus!

Definitions

Adoption – Adoption is an act of God whereby He makes us members of His family. We are adopted by God when we believe in and accept Christ as our Lord and Savior. God becomes our heavenly Father and He desires to give us His blessings.

Antichrist – An antichrist is an enemy and disbeliever of Christ. The Antichrist is to spread universal evil before the end of the world but finally will be conquered at Christ's second coming. The word *antichrist* is also used to describe other people who have the same opposition to Christ.

Atonement – This is the work Christ did in His life and death to earn our salvation. It was not necessary for God to save any people at all. God's love for us and the justice of God were the cause of the atonement.

Baptism – Baptism is an immersing of an individual in water as a symbol of washing away sin and is administered for those who give a believable profession of faith in Jesus Christ. The New Testament gives us examples of baptism as complete immersion. Jesus Christ gave us an example to follow as He was "baptized" by John the Baptist.

Blasphemy – The word *blasphemy* means to make remarks in speech, writing, or action that mocks God. The blasphemer is disrespectful and does not care what is said about God. The "unpardonable sin" is the sin that is not forgiven because it mocks the Holy Spirit.

Born again – The term *born again* was first used by Jesus as He spoke to Nicodemus, a ruler of the Jews. Jesus was explaining that in order to enter into the kingdom of God (heaven), we need two births. One birth is a physical birth, which is of water. The second birth is a spiritual birth, which is of the Spirit. The spiritual birth comes when one accepts Jesus as his Lord and Savior and is adopted into the family of God.

Conversion – Conversion is an action one makes by repenting and putting his/her trust in Christ. One must turn from sin (repent) and turn to Christ through faith.

Covenant – A covenant is a divine, unchangeable, legal agreement between God and man. It is binding and is meant for someone to do something or to keep someone from doing a specific thing.

Doctrine – A doctrine is something taught about a particular topic. Some examples of doctrines of the Bible are the flawlessness of the Scriptures, the doctrine of baptism, the doctrine of Satan and demons, the doctrine of spiritual gifts, the doctrine of creation, and the doctrine of the Trinity. All of these doctrines are important because they teach us about the truths of God's Word.

Faith – Faith is a belief that does not need proof or evidence. The greater our knowledge about Christ and the Scriptures, the greater our faith will be. The more we know about Christ, the more we can put our trust in him.

Faithfulness – This word speaks of the fact that God always keeps His Word. We have every reason to be "full of faith" in our faithful God. He will always do what He says He will do.

Glory – Glory means that we give Him the credit, praise, and honor that is really due to Him.

Glorification – The biblical word *glorification* means we will have a perfect resurrected body like Christ's at the time of His return. We will experience victory over the death that came from the fall of Adam and Eve.

Gospel – The gospel is a word to describe the good news of the teachings of Jesus and the apostles. It includes the Christian doctrines (teachings) of salvation, repentance, and faith through Jesus as Christ. The gospel is taught for understanding the need for a Savior.

Grace – Grace means receiving what you do not deserve.

Hell – Hell is a real place for those who never accept the salvation of God. It is a place for the unbelievers and is described as an eternal punishment. Jesus calls it an "unquenchable fire" and says three times in the book of Mark that hell is *where their worm does not die, and the fire is not quenched* (Mark 9:44, 46, 48 NKJV) In Luke 16:19-31, there is a story about the rich man and Lazarus, a poor man, and a description of heaven and hell. The rich man describes hell as a place of torment. The word *hell* is found in the Bible fifty-three (53) times.

Holy – He is separate from all sin and that He is committed to His own honor and glory.

Immanence – This is the state of being active and nearby. God Himself stays closely involved with creation at all times in all places.

Immutability – Immutability describes God's unchanging character, yet God does act and feel emotions and responds to different situations.

Incarnation – The church has used this word to describe the act of God the Son taking upon Himself human nature and human appearance.

Inerrancy – Inerrancy means that the Bible is always true and tells the truth concerning everything it talks about. God warns man not to add to the words of the prophecy of the Bible, for the words written were given to men by Him and contain no mistakes (Rev. 22:18-19).

Intercession – Jesus is at the right hand of God and brings our prayer requests before God. It pleases God that we pray to Him as it is one way to show we have faith in Him. Our prayers are heard and answered according to the Father's will.

Justification – Justification is an act done in an instant by God in which He 1) thinks of our sins as forgiven and Christ's righteousness as belonging to us and 2) declares us to be righteous in his sight. Justification is just as if we never sinned. We are declared not guilty. It is the opposite of condemnation when a person is declared guilty.

Lord's Supper, The – The Lord's Supper is one of two ordinances (commands) that Jesus gave believers to do. The Lord's Supper is to be done throughout our Christian lives. It is a sign of fellowship with Christ. When we take the broken bread at the Lord's Supper, it symbolizes the breaking of Christ's body; and when we take the cup (drink), it symbolizes the blood of Christ which was shed for us.

Miracle – A miracle is an act that can't be done without supernatural power. It can be a remarkable event or thing, but it always arouses people's awe and wonder and bears witness to God. When Jesus healed people and cleansed lepers and cast out demons, He was performing miracles.

Mercy – This word means not receiving what you deserved.

Omnipotent –The word *omnipotence* describes the unlimited power and authority that God has over everything. Jesus used this power when He stilled the storm at sea by simply speaking and when He turned water into wine. Other examples are the miracles he performed throughout the gospels of Matthew, Mark, Luke, and John.

Omnipresent – The word *omnipresence* tells us that Jesus is present in all places at the same time. This was not true while He physically walked upon this earth. Jesus told His disciples that He must leave so the Holy Spirit could guide them into all truth. We have the third person of the Trinity, the Holy Spirit, with us today.

Omniscient – The word *omniscience* is God's power to know the thoughts that are in the hearts of everyone. He knows who believes and who doesn't. He understands the physical hurts, the joys, and disappointments.

Pastor – A pastor is a person who is in charge of a church. His responsibility is to feed his flock (people) by teaching the Scriptures and to be a shepherd leading them to the truth of God's Word. The word *pastor* is used only once in the New Testament, but seven times in the Old Testament. God tells the people of Israel that He will give them pastors which will feed them knowledge and understanding. God also warns pastors about leading the flock astray by not being true to the words of God.

Perseverance – This is the teaching that all those who have truly been saved by Jesus Christ have saving faith that is everlasting.

Propitiation – *Propitiation* is a word that means a sacrifice. Christ became the sacrifice when He died on the cross. Jesus took upon Himself all the sins of the world that God had stored up in His righteous anger, and Jesus felt the wrath of God. This sacrifice has given a way for God to forgive sins.

Rapture – The word *rapture* is not in the Bible. It means to be carried away with joy and love. The rapture is the time when Jesus takes His believers to be with Him forever. We do not know the time but the Bible tells us to be always ready for His return.

Reconciliation – Reconciliation brings together a relationship that would be broken. Sin separates us from God. Christ reconciled us to God through His death and brought us back into fellowship with God.

Redemption – Redemption is given to all believers through the death of Jesus. He redeemed (bought) us from the bondage of Satan. Jesus paid the price through His death on the cross, so we could be free from the power of Satan. In 1 John 5:19, we read that the whole world is under the power of the evil one.

Regeneration – Regeneration is a work of God which gives us a new spiritual life. Another term could be "being born again." God has given man a choice to choose a spiritual life.

Repentance – Repentance is a sorrow for sin and a true desire to turn from sin and walk in obedience to Christ. Faith and repentance must come together. Repentance is an understanding that sin is wrong, realizing and accepting the teachings of the Bible regarding sin, and making a personal decision to give up the sin.

Resurrection – Resurrection is a rising from the dead or coming back to life. Jesus rose from the dead, but He came back with a new kind of human life. His body was made perfect – no longer a body that would age, become weak, and die. His resurrection gives us hope for eternal life.

Righteousness – Righteousness describes the way God acts. God always acts in a way that is right, for He is the final standard of what is right. God wants us to understand His righteousness by studying the Scriptures, so we can act the way He wants us to act.

Salvation – Salvation is the deliverance from sin and from the penalties of sin. The word *salvation* was used in the book of Genesis as Jacob was talking to his sons. In Genesis 49:18, Jacob says, *I have waited for thy salvation, O Lord.*

Sanctification – Sanctification is a term used to show a continual growth to become more and more like Christ. Once we are "born again," we begin a process of growth that continues until the day we are face to face with Christ.

Sin – Sin is an action or attitude that is not pleasing to God. God is righteous and He has given rules and laws to show what displeases him. Our sin nature was inherited from Adam and Eve, and it separates us from God.

Spiritual Gift – A spiritual gift is an ability that is given by the Holy Spirit and used in any ministry of the church. A spiritual gift is given to a believer when

one believes in and accepts Christ. It is not necessarily a talent that one has. This gift is used to encourage and build up the church body.

Theologian – One who studies, thinks, and writes about God.

Transcendence – God is greater in all ways than all of creation, because He created it! He is separate from creation. He is far above it in thought, power, and being.

Tribulation – The tribulation will be a time when God's anger will be upon the earth. The word comes from a passage in Matthew 24:21.

Trinity – The word *trinity* is not in the Scriptures. "Tri" means three. The persons of the Trinity exist as Father, Son, and Holy Spirit. Each person is fully God and has all the characteristics and qualities of God. In the book of Genesis, there is a verse which verifies that God was not alone in the world's creation. Genesis 1:26 reads, *And God said, Let **us** make man in our image, after **our** likeness.* In the book of John, Jesus tells how important it was that He go to the Father so the "Comforter," or "Holy Spirit," could come into the world.

Trust – Trust is having confidence in the honesty, integrity, and reliability of another person. When we have trust in Jesus Christ, we believe that He is in control of everything. We believe He is the only truth and we can always depend on Him.

Unpardonable sin – The unpardonable sin is a willful rejection and slander against the Holy Spirit. It involves hardness of heart and lack of caring about the work of God and His teachings.

Virgin Birth – Jesus was conceived in the womb of Mary, His mother, by a miraculous work of the Holy Spirit and without a human father. His birth was prophesied in the book of Isaiah.

Wisdom – Wisdom is having the right judgment based on knowledge, experience, and understanding. God desires us to begin wisdom by fearing the Lord and desiring to gain knowledge through the Scriptures.

Worldview – This is the collection of your foundational beliefs and ideas that influence (affect) all your other beliefs, ideas, and choices.

Worship – Worship is glorifying God in His presence with our voices and hearts. As a Christian we should worship the Lord in all of our Christian life. Everything the church does should be considered worship, for everything we do should glorify God.

Wrath – Wrath is God's raging hatred of all sin and the angry righteous judgment that He pours out on those who sin if Christ does not save them from Him.[1]

---

1   Definitions taken from Kids4Truth International Independence, MO.
     Used with permission

Children Obey Your Parents

On numerous occasions, I've heard well-meaning parents ask, "Don't you know that obeying your parents is the first command in the Bible?" Then their question is backed up with Ephesians 6:1-3, *Children, obey your parents in the Lord: for this is right. Honour thy father and mother; (which is the first commandment with promise) That it may be well with thee, and thou mayest live long on the earth.*

If you look closer, you'll see it's not saying that parental obedience is the first commandment. Rather, it's "the first commandment *with promise*." What does *with promise* mean? It means it was the first of Ten Commandments given to Moses in Exodus 20 that carried a promise. That promise was, *That it may be well with thee, and thou mayest live long on the earth.*

Rather than say, "parental obedience is the first commandment," it's better to say, "parental obedience is the first commandment with promise."

The age group Paul was addressing in Ephesians 6:1-3 is children; not dads, moms, nor adults. I realize that some adults consider their offspring as children, despite their age. At 30, 40, and 50 years, they're still considered children bound by the first commandment. But let's consider the context in which this was written.

In the previous chapter, Paul addressed husbands and wives. Now in chapter 6, he addresses children, fathers, servants, and masters. These are all positions which people fulfill at certain periods in life. In other words, a husband is not a wife, a master is not a child, and a child is not a father.

In the New Testament, Jesus repeats an Old Testament statement, *For this cause shall a man leave father and mother, and shall cleave to his wife: and they twain shall be one flesh?* (Matthew 19:5). Note, *For this cause shall a* **man** *leave father and mother.* A man is no longer a child; he's expected to act like an adult by leaving his father and mother and cleaving to his wife.

This does not mean that adults should stop honoring their parents. God commands all to honour their parents, *For God commanded, saying, Honour thy father and mother: and, He that curseth father or mother, let him die the death* (Matthew 15:4). According to Scripture, children are commanded to obey father and mother while adults are commanded to honour parents.

What's the difference between obeying and honouring? Obey means to submit, follow, observe, conform, and mind. Honour means to respect, admire, esteem, and reverence. Is it possible to disobey father and mother and yet honour them at the same time? Yes. Suppose a man and woman want to get married. They must first leave father and mother and become one flesh. And suppose that, in time, the man's parents want to move to another part of the country, but before doing so, they approach their married son and ask him and his wife to move with them. However, the wife doesn't agree.

In this case, the young couple *first* and *foremost* need to consider their own family, future, and lives; even if it means rejecting the father and mother's desire to move with them.

Let's take this another step. If we look to Ephesians 6:1, you will note, *Children, obey your parents **in the Lord***. We live in a world where children sometimes must choose between obeying parents and the Lord. In this case, the child is required to obey the Lord first. The same is true when it comes to husband and wife. The Lord must be *first* and above all other family relationships.

Consider Jesus' words, *Think not that I am come to send peace on earth: I came not to send peace, but a sword. For I am come to set a man at variance against his father, and the daughter against her mother, and the daughter in law against her mother in law. And a man's foes shall be they of his own household. He that loveth father or mother more than me is not worthy of me: and he that loveth son or daughter more than me is not worthy of me* (Matthew 10:34-37).

Concerning child abuse: It devastates me to tears when I hear of adults who abuse their own children in a sexual or physical way. "There is a limit to the child's obedience. When a parent is not acting in the Lord, he is not to be obeyed. The Lord has nothing whatsoever to do with the filth of unrighteousness and abuse of precious children. If a child can break away and free himself from such parental corruption, he has every right to be freed from his parent. The Lord came to set men free from the abuse and the filth of sin, not to enslave men to it, and especially not to enslave children to it" (*Preacher's Outline and Sermon Bible Commentary*).

The severest warning issued in history was from the Lord Jesus to adults abusing children, *And whosoever shall offend one of these little ones that believe in me, it is better for him that a millstone were hanged about his neck, and he were cast into the sea. And if thy hand offend thee [by abusing*

a child), *cut it off: it is better for thee to enter into life maimed, than having two hands to go into hell, into the fire that never shall be quenched: where their worm dieth not, and the fire is not quenched. And if thy foot offend thee* [by abusing a child], *cut it off: it is better for thee to enter halt into life, than having two feet to be cast into hell, into the fire that never shall be quenched: where their worm dieth not, and the fire is not quenched. And if thine eye offend thee* [by lusting after a child], *pluck it out: it is better for thee to enter into the kingdom of God with one eye, than having two eyes to be cast into hell fire: where their worm dieth not, and the fire is not quenched* (Mark 9:42-48).

Salvation by Grace through Faith

Trying to be saved by keeping the law and being saved by grace are two entirely different approaches. Christ's provision for our salvation will not help us if we are trying to save ourselves. Obeying the law does not make it any easier for God to save us. All we can do is accept His grace through faith.

Romans 11:6: *And if by grace, then is it no more of works: otherwise grace is no more grace. But if it be of works, then is it no more grace: otherwise work is no more work.*

Let me explain. The law, or our works, was never meant to be the means of our salvation. God's Word was meant to show us our need for salvation.

Galatians 3:24 says, *Wherefore the law was our schoolmaster to bring us unto Christ, that we might be justified by faith.*

In our human nature, we tend to want to do good things to help us to salvation. It might be getting baptized, belonging to a church, saying our prayers, helping someone in need, or whatever it might be; it's not the same thing for everyone. These are all well and good, but if we are doing it to get God's approval and acceptance for salvation, we are being deceived.

Beware of people who say we need to do more than believe in Christ to be saved. When people set up additional requirements for salvation,

they deny the power of Christ's death on the cross. You see, salvation is something that Jesus already accomplished; it is finished! It is a free gift, waiting for whoever accepts Jesus and the payment He made for sin when He died on the cross.

For God so loved the world, that he gave his only begotten Son, that whosoever believeth in him should not perish [in Hell], *but have everlasting life* [starting today and going on forever] (John 3:16).

Beware of people who say, "Don't read your Bible too much."

2 Timothy 3:15 says, *And that from a child thou hast known the holy scriptures, which are able to make thee wise unto salvation through faith which is in Christ Jesus.*

Acts 17:11 states that the Berean Jews *received the word with all readiness of mind, and searched the scriptures daily.*

Beware of people who say, "You can't know whether or not you are saved."

1 John 5:13 says, *These things have I written unto you ... that ye may know that ye have eternal life.*

Read Ephesians 2:8-9, which says in part, *For by grace are ye saved* [the free gift] *through faith;* Faith in what? In His blood. Faith in His finished work on the cross. Faith that He died, that He rose again for our sins. *And that not of yourselves: it is the gift of God: Not of works, lest any man should boast.*

Romans 6:23 says: *For the wages* [our payment] *of sin is* [physical and spiritual] *death; but the gift of God is eternal life through Jesus Christ our Lord.*

You might say: yes, but James 2:20 says, *faith without works is dead.* But if we truly have Jesus, we will want to obey His Word out of love and the fact that He removed all our sins and gave us everlasting life, not because we are trying to get salvation from Him.

John 14:15 says: *If ye love me, keep my commandments.*

Galatians 2:16 says: *Knowing that a man is not justified* [made right in God's eyes] *by the works of the law, but by the faith of Jesus Christ, even we have believed in Jesus Christ, that we might be justified by the faith of Christ, and not by the works of the law: for by the works of the law shall no flesh be justified.*

Stop trying in the flesh to be saved!

John 14:6 says, *Jesus saith unto him, I am the way, the truth, and the life: no man cometh unto the Father, but by me.*

John 10:7, 9: *Then said Jesus unto them again, Verily, verily, I say unto you, I am the door of the sheep. I am the door: by me if any man enter in, he shall be saved, and shall go in and out, and find pasture.*

Check the motives of your heart. Are you trying so hard to get to God in the flesh that you will end up missing out on heaven? You and I cannot get to Him because we were born into a certain culture, belonged to a certain church, or lived a life free of murder, lying, stealing, and sexual immorality. We get to Him by repenting of our self-righteous attitude and works, such as thinking that I'm a good church member, have been baptized, pray at least once a day, live a humble and plain life, and help those who are in need. We get to God by placing 100 percent of our trust in His Son, Jesus Christ.

Matthew 7:22: *Many will say to me in that day, Lord, Lord, have we not prophesied in thy name? and in thy name have cast out devils? and in thy name done many wonderful works?*

Jesus wants all the honor and glory for saving us! Jesus took our sins to the cross, paying for them so we can be claimed as "not guilty." Don't let anyone tell you another way.

Colossians 2:8: *Beware lest any man spoil you through philosophy and vain deceit, after the tradition of men, after the rudiments of the world, and not after Christ.*

Romans 3:23 and 1 John 1:9 say that we were all born as sinners needing someone to save us, but *if we confess our sins He is faithful and just to forgive us our sins and to cleanse us from all unrighteousness.*

Romans 5:9 makes it plain. *Much more then, being now justified by his blood, we shall be saved from wrath through him.*

Romans 3:24-25: *Being justified freely by his grace through the redemption that is in Christ Jesus: Whom God hath set forth to be a propitiation* [turning God's wrath away from us by taking away our sins] *through faith in his blood, to declare his righteousness for the remission* [removal] *of sins.*

It says His righteousness; not ours. Stop performing and simply trust Jesus.

Romans 10:3 talks about people who were going about establishing their own righteousness, but had not submitted themselves unto the

righteousness of God. Do good, obey, and serve Jesus now because you love Him. Ask Jesus what it is that He wants you to do today. There might be a soul that is lost, needing your help to find the truth. The truth sets a person free! If you try to reach heaven some other way, you'll miss it.

For those who are trying to get to God on their own, please listen carefully:

Romans 4:4: *Now to him that worketh is the reward not reckoned of grace, but of debt.*

Romans 4:14: *For if they which are of the law be heirs, faith is made void, and the promise made of none effect.*

Romans 4:16: *Therefore it is of faith, that it might be by grace.*

Jesus, I have no one but You. My focus and help is only from You. I give You my heart and soul. You are the Way to salvation and Your blood cleanses me from sin. Come into my heart and forgive my sins with Your blood, clothe me with the robe of Your righteousness and not mine own. I surrender my whole life and heart to You.

Jesus is enough! Look to Him! Believe in Him! Prayer is the key that connects us with God.

Romans 10:13: *For whosoever shall call upon the name of the Lord shall be saved.*

Do you have questions or comments about some of the things that you have read or are thinking about or just need someone to talk to? Feel free to contact me. Geoff in the office at (715) 575-1046. E-mail can be sent to gospelofjohn4you@gmail.com. Written correspondance can be sent to 302 N. Main St., Greenwood, WI 54437.